THE HOUSE OF THE TRAGIC POET

A house that displays a wonderful wealth of pictures, geometry, mosaics, strange creatures and zest for life. This type of courtyard house represents one of the most beautiful devised.

La Casa del Poeta Tragico

Una casa che mostra una meravigliosa ricchezza di pitture, geometrie, mosaici, strane creature e gusto per la vita. Questo tipo di casa a cortile rapprasenta uno degli esempi più belli mai concepiti.

NICHOLAS WOOD

Italian version by Elena Marcarini

1996

κομιζ᾽, ἀπο σμικρου δ᾽ἀν ἀρειας μεγαν

δομον, δοκουντα καρτα νυν πεπτωκεναι

AESCHYLUS Choephoroi 262-264

Published by Nicholas Wood, 20 South Hill Park Gardens London NW3 2TG

Whilst every effort has been made to ensure accuracy, the author and publisher cannot accept responsibility for any omissions or errors of fact.

Coloured drawings and photographs by the author.
Line engravings from *Pompeii* T.H. Dyer 1867

Typesetting and Design by Philip Mann, ACE
Printed and bound in Hong Kong by Paramount

ISBN 0 9528443 0 3

PART I
PIECING TOGETHER THE JIGSAW

On first appearance, the house today is a shabby affair, yet we know that when it was excavated in 1824 its dazzling painting and beautiful architectural proportions caused a sensation. So much so that Bulwer Lytton was inspired to write "The Last Days of Pompeii" using the house as the background. This book is an account of the painstaking task of piecing together the jig-saw puzzle to produce a finished picture of the house before the eruption of Vesuvius and of the evidence of the people who lived there in 79 A.D., using detective work involving close inspection of such plasterwork as is left, examining the beam holes in the walls, exploring the types of flooring, comparing the house with those at Herculaneum and conducting detailed research in museums and libraries across Europe.

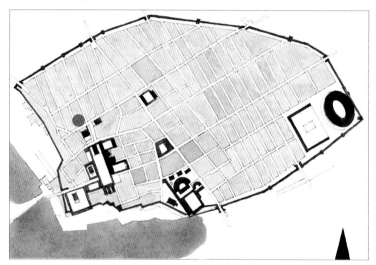

PARTE I
METTERE INSIEME I PEZZI DI UN PUZZLE

La prima impressione che si ha oggi guardando la casa è quella di una struttura malandata, eppure sappiamo che quando venne alla luce dagli scavi del 1824 i suoi meravigliosi affreschi e le sue perfette proporzioni architettoniche fecero scalpore. A tal punto che Bulwer Lytton ebbe l'ispirazione di scrivere "Gli ultimi giorni di Pompei" usando questa casa come sfondo. Questo libro è il resoconto di uno scrupoloso lavoro di unione di tutti gli elementi di un puzzle in modo da realizzare un quadro completo della casa cosí come doveva essere prima dell'eruzione del Vesuvio e delle tracce lasciate dalle persone che vi vivevano nel 79 d.C. Questa ricostruzione ha comportato sia un lavoro di investigazione che ha compreso un attento esame degli intonaci rimasti, dei fori lasciati nei muri dalle travi e dei tipi di pavimentazione, sia un raffronto di questa casa con quelle rinvenute ad Ercolano, sia un accurato lavoro di ricerca nei musei e nelle biblioteche d'Europa.

At lunch time on the 24th August A.D. 79 there was an ear shattering explosion, the sun was blotted out, the ground heaved, tiles slithered off the roof; and then, after half an hour, a thundering roar of pumice stones the size of duck eggs cascaded thousands of metres from the sky, followed by a hail of pumice balls which began to fill up the house like sand in an hour glass. Panicking people waded through this in the darkness. Some staggered upstairs. Then there were searing hot avalanches of ash, flattening walls and roofs of the upper floor. Doors buckled. The house became engulfed. By the morning of August 25 no one in the house was alive.

All'ora di pranzo del giorno 24 agosto 79 d.C. ci fu una fragorosa esplosione, il sole si oscurò, il suolo sussultò, le tegole scivolarono giù dai tetti; quindi dopo mezz'ora, con un boato tuonante, dal cielo si scatenò una pioggia di pietre di pomice grandi come uova d'anatra. Questa pioggia fu seguita da un'ininterrotta grandine di piccole palle di pomice che iniziò a colmare la casa come se questa fosse diventata una clessidra. La gente, in preda al panico, si muoveva a stento nell'oscurità, tra bagliori di fuoco e lampi di luce. Alcuni si arrampicarono a fatica ai piani superiori. Quindi, le case vennero travolte da valanghe di cenere e fango roventi. A questo punto, i muri e i soffitti dei piani superiori iniziarono a crollare. Le porte si deformarono e vennero completamente scardinate. La casa venne sommersa da una polvere fine, da pietra pomice, pioggia bollente e gas solforoso. Alla mattina del 25 agosto, nessuno era sopravvissuto.

Depth of ash
3.6 metres – 4 metres
di profondità

4 *Le tegole, le travi e i muri crollarono.*
Roof tiles, timbers and walls crashed down.

3 *Dopo cadde cenere, pioggia bollente e gas letale.*
Then came ash, hot rain and deadly gas.

2 *Quindi grandine di lapilli di pomice.*
Then came a hail of lapilli of pumice.

1 *Le prime cose a cadere furono tizzoni spenti e pezzi di pomice grandi come uova di anatra.*
The first things to fall were cinders and pumice the size of duck eggs.

A photograph of the house taken in 1996. The walls were in much better condition at the time of the excavation in 1824. Now they are ravaged by efflorescence, rain and buckets of water thrown at them by 19th Century guides. However, traces of details can still be seen. By pushing aside the acanthus, it is still possible to find remnants of a painted trellis fence similar to that in the garden of the Marine Venus. The passage to the garden can be seen to the right of the Tablinum. Roofs were added by Amadeo Mauri in the 1930s.

La casa in una fotografia realizzata nel 1996. All'epoca degli scavi nel 1824 i muri erano in condizioni di gran lunga migliori di adesso. Le pitture infatti hanno subito innumerevoli devastazioni: piante cresciute ovunque, pioggia e secchiate d'acqua gettate sugli affreschi dalle guide turistiche nel corso del XIX secolo. Ciò nonostante, si possono ancora intravedere tracce di pitture. Spostando l'acanto, è tuttora possibile scorgere resti del dipinto di un pergolato simile a quello del giardino della Venere Marina. A destra del Tablinum si può notare il passaggio verso il giardino. I tetti vennero aggiunti da Amedeo Mauri negli anni trenta.

The following woodcut represent:
the wall, with apertures for windows :
as it appears from the street.   The tiling
wall is modern, and is only placed ther
serve it from the weather.

The windows appear originally to h
merely openings in the wall, closed by
shutters, which frequently had two leave
fenestrae, Ovid, *Pont.* III. iii. 5), whe
(*Amor.* I. v. 3) says,
" Pars adaperta fuit, pars altera clausa fe

1824

1996

The last remnants of external wall decoration
Gli ultimi resti della decorazione del muro esterno

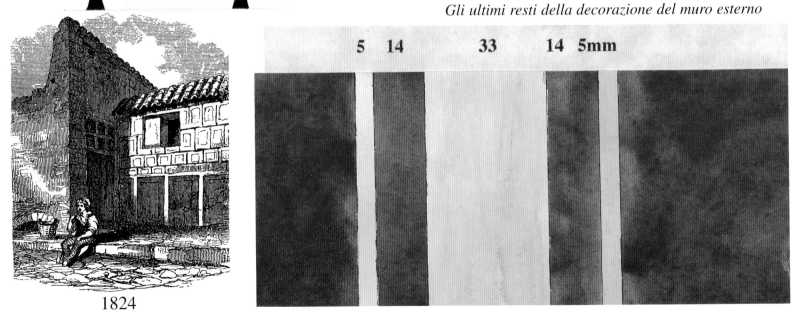

5   14   33   14 5mm

THE HOUSE OF THE TRAGIC POET

LA CASA DEL POETA TRAGICO

The House of the Tragic Poet lies opposite the Forum baths on the Via Nola, which was a main road in the old Samnite city. There was a crossing of large stone blocks over the two-cart road just opposite the entrance of the house. When the entrance doors swung open on their noisy bronze hinges, one was greeted by the mosaic of a fierce mastiff and the words CAVE CANEM.

On the left pier of the entrance was a graffitto notice in red paint for an election: **M.HOLCONIUM AED.** and **G.GAVINIUM.** The house was probably constructed in the time of the Emperor Augustus, 29 B.C. – 14 A.D. It incorporated some of the old walls and the atrium mosaic floor of an earlier Samnite house or houses, but it has a unified scheme of decoration throughout. On the morning of the fatal eruption it was occupied by a rich middle class family.

*La Casa del Poeta Tragico si trova di fronte alle terme del Foro, sulla via Nola che era un'antica strada nel centro della città Sannita. Proprio di fronte all'ingresso della casa, lungo la strada a due carreggiate, c'era un incrocio di grossi edifici. Quando le porte d'entrata si aprivano ruotando sui rumorosi cardini di bronzo, si veniva accolti dal mosaico di un feroce mastino e dalle parole **CAVE CANEM.***

*Cani di tal genere non erano solo immaginari. Su un pilastro a sinistra dell'entrata c'era un'iscrizione incisa in pittura rossa per l'elezione di **M.HOLCONIUM AED** e **G.GAVINIUM** al consiglio di Pompei. La casa venne probabilmente costruita all'epoca dell'imperatore Augusto 29 a.C.–14 d.C. Comprendeva alcune mura e un atrio con pavimento a mosaico proveniente da una o più case Sannite preesistenti. Poiché la decorazione presenta uno schema unitario in tutta la sua estensione, la casa deve essere stata costruita in un'unica fase operativa. La mattina della fatale eruzione, era abitata da una ricca famiglia del ceto medio.*

An Inward Looking Mediterranean Courtyard House has a long history. The early Neolithic people in the Eastern Mediterranean soon realised that if your mud brick house shared walls with your neighbour's house, and your rooms looked inwards to a small courtyard, there were many advantages of shared construction work, cool moist shade in the summer, and security.

EVOLUTION OF THE HOUSE
L'EVOLUZIONE DELLA CASA

Una casa mediterranea che si apre su cortili interni
La struttura essenziale della casa ha una storia antica. Le popolazioni del Mediterraneo orientale del primo Neolitico si resero conto rapidamente che, se una casa costruita con mattoni di fango condivideva i propri muri con le case dei vicini e se le stanze si aprivano all'interno su piccoli cortili, si ottenevano molteplici vantaggi sia nel dimezzare gli sforzi di costruzione, sia nel godere l'ombra al fresco in estate e sia per ragioni di sicurezza.

6000 B.C. A Neolithic Wall Painting of a town plan at Çatal Hüyük in Turkey, showing different size mud brick houses with rooms around courtyards. Some houses have party walls.
6000 a.C. Un dipinto murale del Neolitico che raffigura la pianta di una città a Catal Huyuk in Turchia, mostra case di diverse dimensioni realizzate con mattoni di fango e dotate di stanze disposte intorno a dei cortili. Alcune case hanno muri divisori.

79 A.D. Pompeii, a sophisticated social statement with an axial vista.
79 d.C. Pompei, veduta assiale del prodotto di un raffinato sistema sociale.

1812 A.D. Saudi Arabia. A mud brick version of a Roman House, but very private.
1812 d.C. Arabia Saudita. Una versione estremamente privata della casa romana, in mattoni di fango.

By the 2nd Century B.C. in Pompeii the courtyards of houses were almost totally roofed in with inwardly sloping tiled roofs to catch water. Bedrooms at the front of the house had in many cases been turned into shops, and at the back, if there was space and money available, a fashionable Greek peristyle garden was added, with dining rooms and bedrooms. The main bedroom of the house had become a business room(**tablinum**). The houses were urban and their heavy doors led straight onto the street. Windows were small and at a high level for security. By the **1st Century A.D.** at least half the houses had two storeys. The vista from the street into the house was intentionally impressive.

*Nel II secolo a.C. a Pompei i cortili delle case erano quasi completamente coperti da tetti rivestiti da tegole ed inclinati verso l'interno in modo da raccogliere l'acqua. Le camere da letto disposte sulla facciata della casa erano state in molti casi trasformate in negozi e sulla parte posteriore, se c'erano spazio e denaro disponibili, veniva aggiunto un giardino colonnato, secondo la moda greca, con sale da pranzo e camere da letto: la camera da letto principale della casa era stata trasformata in una stanza destinata agli affari (**Tablinum**). Le case erano cittadine e le loro porte pesanti si aprivano direttamente sulla strada. Le finestre erano piccole e, per ragioni di sicurezza, situate in posizione elevata. Nel I secolo d.C. almeno metà delle case avevano due piani. La vista della casa dalla strada era volutamente imponente.*

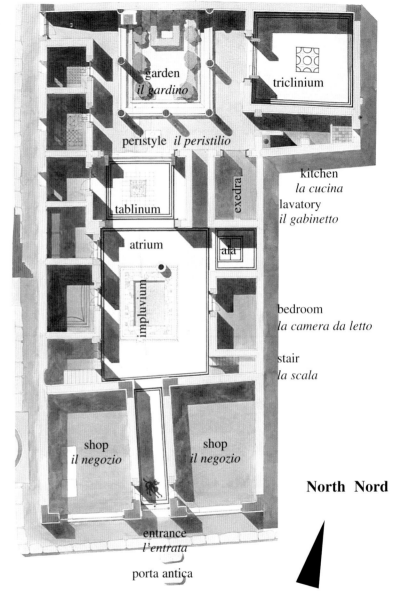

porta posticum

library
la biblioteca

bedroom
la camera da letto

study
lo studio

store room
il guardaroba

bedroom
la camera da letto

guard room
la stanza del guardiano

stair
la scala

pavement
marcapede

garden
il gardino

peristyle *il peristilio*

triclinium

tablinum

exedra

atrium

ala

impluvium

shop
il negozio

shop
il negozio

entrance
l'entrata

porta antica

kitchen
la cucina

lavatory
il gabinetto

bedroom
la camera da letto

stair
la scala

North Nord

0	5	10	15

scale   metres

Planning the Rooms

The rooms were planned to **harmonic proportions** as far as the irregular layout of the site allowed. Thus the tablinum opening is two thirds the width of the atrium. The length of the atrium is equal to four thirds of its width. The arcs of the bedroom vaults are struck from floor level, and the lengths of these bedrooms are equal to the diagonal of the squares described by their widths. These accord with the proportional principals set out by Vitruvius in *Ten Books of Architecture* and probably account for the pleasure the spaces in the house subconsciously give us.

La pianta delle stanze

Le pianta delle stanze era stata stabilita in base ai principi armonici delle semplici proporzioni, con i limiti consentiti dalla leggera irregolarità dell'ubicazione. Così, l'apertura del tablinum corrisponde a 2/3 della larghezza dell'atrio. La lunghezza dell'atrio è pari a 4/3 della sua larghezza.
Gli archi delle volte della camera da letto partono dal livello del pavimento e la lunghezza di queste camere corrisponde alla diagonale del quadrato formato dalla loro larghezza. Questi sono esattamente i principi delle proporzioni stabiliti da Vitruvio nei suoi 'Dieci libri di architettura', ai quali si deve probabilmente il senso inconscio di piacere che ci viene suscitato dai volumi di questa casa.

THE PROPORTION OF ROOMS

LE PROPORZIONI DELLE STANZE

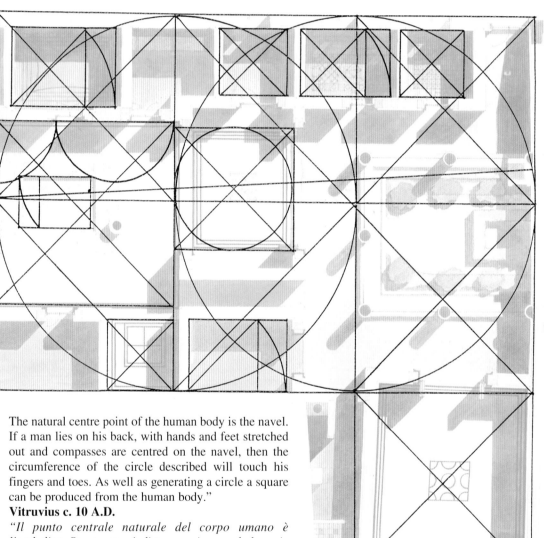

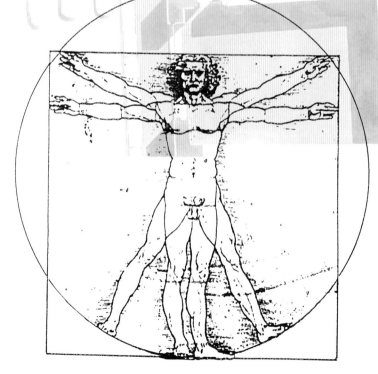

The natural centre point of the human body is the navel. If a man lies on his back, with hands and feet stretched out and compasses are centred on the navel, then the circumference of the circle described will touch his fingers and toes. As well as generating a circle a square can be produced from the human body."
Vitruvius c. 10 A.D.

*"Il punto centrale naturale del corpo umano è l'ombelico. Se un uomo è disteso supino con le braccia e le gambe allargati e un compasso viene puntato sul suo ombelico, la circonferenza del cerchio delineato toccherà le dita dei piedi e delle mani. Nello stesso modo in cui si disegna un cerchio, basandosi su questa posizione del corpo umano si può anche produrre un quadrato." **Vitruvio ca. 10 d.C.**

Clues from scraps of plaster

After the excavations of 1824 the house was left open to the rain for 120 years, causing considerable damage to the plasterwork. The roofs were added in the 1930s. In 1829 the most beautiful paintings were removed from the house to the Naples Museum. By photographing these, and using them as pieces of a large jigsaw puzzle, it is possible to make a reconstruction of the wall decoration. After very close scrutiny of the plaster, more and more details begin to emerge in areas that had been protected from the rain; the faint outlines of stags and cupids, borders and architectural details. These traces help us to build up a picture of the complete fresco. Other details can be filled in using the beautiful drawings in old books made by archaeologists at the time of the excavations.

Riportata alla luce nel 1824

Dopo gli scavi del 1824, la casa venne lasciata esposta alla pioggia per 120 anni, il che procurò danni considerevoli agli intonaci. Gli attuali tetti vennero costruiti negli anni Trenta. Nel 1829 i dipinti più belli vennero rimossi e trasferiti al Museo di Napoli. Dalle riproduzioni fotografiche di quest'ultimi, e servendosene come pezzi di un grande puzzle, è possibile realizzare una ricostruzione della decorazione muraria. Ad un attento esame dell'intonaco, cominciano ad emergere ulteriori particolari dalle zone che sono rimaste al riparo dalla pioggia: i contorni sbiaditi di cervi e cupidi e i bordi e i dettagli di strutture architettoniche. Queste tracce ci aiutano a ricostruire il disegno dell'affresco nella sua interezza. Altri particolari possono essere inseriti servendosi dei bei disegni conservati in libri antichi e realizzati da archeologi all'epoca degli scavi.

Photograph of the Sacrifice of Iphigenia and drawing by Raoul Rochette 1826 superimposed
Fotografia del Sacrificio di Ifigenia e disegno di Raoul Rochette (1826) sovrapposti.

PIECING TOGETHER THE JIGSAW
METTENDO INSIEME I PEZZI DEL PUZZLE

The south wall of the atrium reconstructed. Scraps of the plasterwork of the two columns still exist. The picture of the marriage of Zeus and Briseis is in the Naples Museum. The alignment of the picture frame matches all that is left of the Venus picture, described by Sir William Gell in 1826 as being like a Titian. The capitals are from a drawing by Raoul Rochette of 1826. Existing plasterwork was surveyed in 1995. Judging by the holes left for closely spaced heavy floor beams and by the stumps of plastered walls above this level, there is evidence of an upper floor. This floor would have been planked and topped with 12 cm of pozzolana and brick chip concrete.

Ricostruzione del muro meridionale dell'atrium. Sono tuttora esistenti dei frammenti degli stucchi delle due colonne. Il dipinto del matrimonio tra Zeus e Briseide è conservato nel Museo di Napoli. L'allineamento delle cornici dei dipinti corrisponde a quanto è rimasto del dipinto di Venere, descritto da Sir William Gell nel 1826 come simile ad un Tiziano. I capitelli derivano da un disegno di Raoul Rochette del 1826. Gli stucchi esistenti vennero rilevati nel 1995. Abbiamo anche la prova dell'esistenza di un piano superiore: questa ci è infatti fornita da dei fori che dovevano essere stati realizzati per sostenere le pesanti travi del pavimento disposte a distanza ravvicinata. Un'ulteriore prova ci è data da residui di muri intonacati conservati al di sopra di quel livello. I pavimenti venivano poi rivestiti con tavole di legno e ricoperti con 12 cm. di cemento.

PICTURE FROM NAPLES MUSEUM

HOUSE OF THE TRAGIC POET   WATERCOLOUR STUDY   ATRIUM WALL DA   1:20

Reconstructed South wall of the atrium
Ricostruzione del muro meridionale dell'atrium.

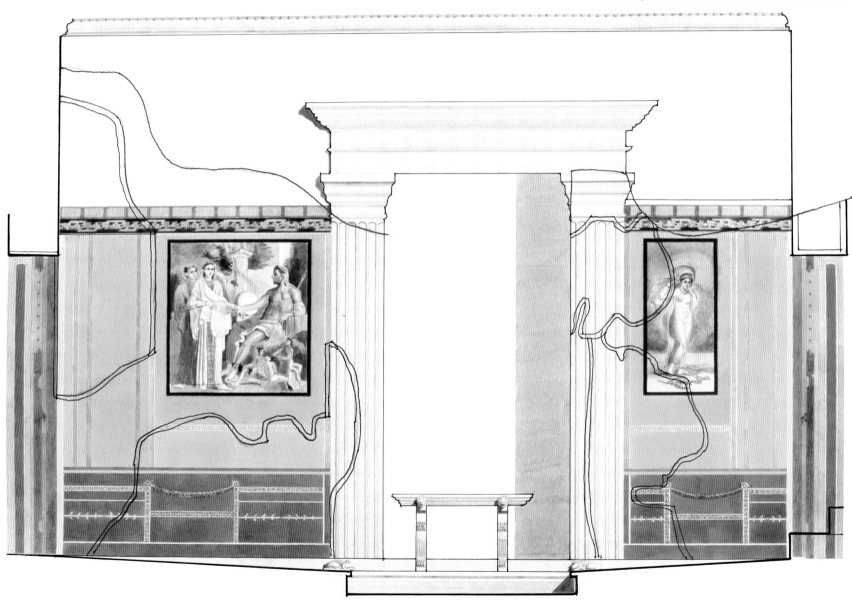

"There my gleaming goddess entered with gentle step,
Resting the shining sole of her graceful slipper
On the worn threshold she paused..........."
Catullus 57 B.C.

... Venendo a trovarmi là , la mia Dea dalla pelle candida, camminando in punta di piedi posava la sua suola illustre sulla soglia consumata, il piede in equilibrio sul legno di sandalo scricchiolante.
Catullo 57 a.C.

Threshold **tablinum** *la soglia*

How do we know that a room had doors and what were they like?
We can see that some of the thresholds have marble sills, and that at each side there are recesses for hinges. By measuring the distance between them, we know the width of the doors to the nearest millimetre. Marks in the plaster show us the width and height of the frames. At the Villa of Mysteries there are plaster casts made of the hollows left when the timber has rotted away, with the actual shape of frames, beads, and panels. In Herculaneum there are even some carbonised timber doors still in place. Frescos show that doors were often coloured, sometimes turquoise, sometimes in shades of brown, and the grander doors and frames were gilded and decorated with bronze discs or knobs covering the ends of iron rivets. There were sophisticated bronze locks to the main doors operated by keys engaging in studs. Smaller doors had ring pull handles and bolts.

Come sappiamo che una stanza avesse delle porte e come erano?
Possiamo notare come in alcune stanze le soglie siano in marmo e come a entrambi i lati degli stipiti ci siano delle rientranze per i cardini. In alcuni casi le placche con i cardini in bronzo sono tuttora presenti. Misurando la distanza fra loro, siamo in grado di conoscere la larghezza delle porte con la massima precisione. Delle impronte sugli intonaci ci rivelano la larghezza e l'altezza delle intelaiature. Nella Villa dei Misteri ci sono calchi di gesso delle cavità lasciate dopo che il legno era marcito così che possiamo vederne le intelaiature, le rifiniture e i pannelli. A Ercolano ci sono persino porte di legno carbonizzate ancora al loro posto. Alcuni affreschi mostrano come le porte venissero spesso colorate, talvolta in turchese, altre volte in sfumature di marrone; le porte più grandi e le intelaiature venivano dorate e decorate con dischi di bronzo o borchie che coprivano le cime dei chiodi di ferro. Sofisticate serrature in bronzo venivano usate per le porte principali che funzionavano con chiavi che innestavano degli ingranaggi interni. Le porte più piccole avevano maniglie ad anello e chiavistelli.

The importance of a room may be shown by its door size, and confirms a pattern of family life described in Roman literature and poems. Thus the front door, called the **porta antica**, was very large, the doors off the fauces were very small, the doors to the bedrooms from the atrium were large, those to the garden smaller, the folding doors to the triclinium were massive, but the kitchen had no door at all. There were also large folding doors between the front part of the house and the garden. In the morning these would be shut, so that the women and children could work and play in privacy, while clients discussed business with the patron in the atrium. Slaves and the family could use the back door, which at night was locked and barred with an anti-riot bar. In the afternoon the **porta antica** would be shut and the whole house thrown open to the family. In the evening, when the guests arrived for dinner, the front door would again be opened, giving a long impressive vista to the garden.

*L'importanza di una stanza può essere determinata dalle dimensioni della sua porta, confermando così lo stile di vita delle famiglie descritto nella letteratura latina. La porta di ingresso, chiamata **porta antica**, era molto grande, le porte sui lati erano molto piccole; le porte che dall'atrio si aprivano sulle camere da letto erano grandi, quelle che davano sul giardino più piccole; le porte pieghevoli che si aprivano sul triclinio erano enormi, ma la cucina non aveva alcuna porta. C'erano anche grandi porte pieghevoli fra la parte anteriore della casa e il giardino. Al mattino queste venivano chiuse, in modo che le donne e i bambini potessero giocare e lavorare in privato, mentre i clienti discutevano di affari con il padrone di casa nell'atrio. Gli schiavi e la famiglia potevano usare la porta posteriore che di notte veniva chiusa a chiave e sbarrata con una spranga. Nel pomeriggio la **porta antica** veniva chiusa e l'intera casa veniva lasciata aperta alla famiglia. Di sera quando gli ospiti arrivavano per cena, la porta antica veniva nuovamente aperta, offrendo una lunga imponente vista fino al giardino.*

The Villa of Mysteries *La Villa dei Misteri*

Oplontis

DOORS *LE PORTE*

Front door swings are shown in the bronze pivots
also the slots for the marble facings to the jambs
*I perni di bronzo mostrano l'ampiezza del movimento della porta
d'ingresso, come anche le fessure nel marmo di fronte agli stipiti.*

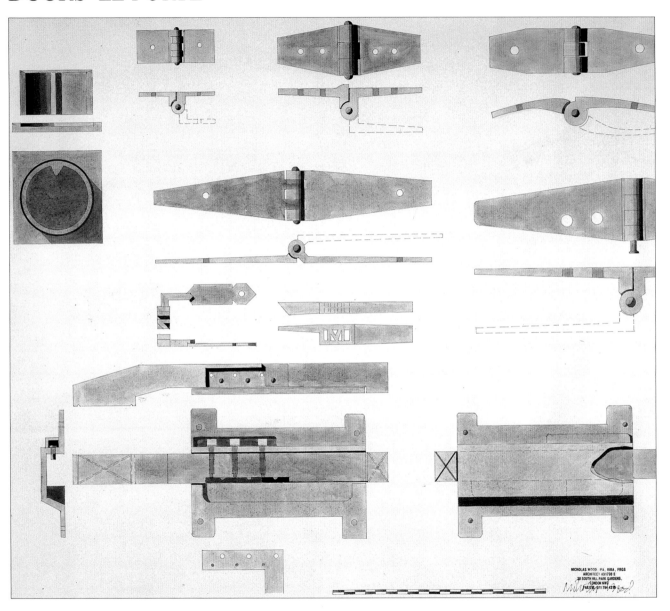

Door pivots, hinges and locks from The British Museum, Hamilton Collection
I perni delle porte, i cardini e le serrature conservati al British Museum, collezione Hamilton.

Triclinium mosaic *Mosaico del Triclinium*

Opus Signinum in cubiculum *Opus Signinum nel cubiculum*

Ala mosaic *Mosaico dell'Ala*

Most of the floor finishes are still intact and include the famous **CAVE CANEM** dog, a cable pattern round the impluvium, and fish mosaic of the dining room. The importance of these rooms can be judged by looking at the floors. The guard room has a brick chip floor, whereas the adjacent bedroom has a black and white mosaic. The bedroom and little library to the garden had a cheaper floor of **opus signinum** – a simple pattern of mosaic squares and circles let into brick chip mortar. The kitchen floor was of hard plaster sloping to a lead grated drain by the lavatory. Other floors were ingeniously sloped for washing or enhancing the dramatic effect. The front entrance passage slopes down to the street, the atrium floor is dished 10 cm to the impluvium, and the tablinum floor slopes upwards so that the patron's stature would have appeared increased when he came to greet his clients, and the garden perspective enhanced.

La maggior parte delle finiture dei pavimenti è rimasta intatta, compreso il famoso mosaico con l'iscrizione **'cave canem'** *e il cane, un motivo a catena intorno all'impluvio e il mosaico con anatre e pesci nella sala da pranzo. L'importanza delle stanze può essere stabilita in base ai pavimenti. La stanza della guardia ha un pavimento fatto di schegge di mattoni, mentre la camera da letto adiacente ha per pavimento un mosaico bianco e nero. La camera da letto e la piccola biblioteca che danno sul giardino avevano un pavimento di poco valore di* **'opus signinum'** *– un semplice motivo a mosaico con quadrati e cerchi inseriti in una malta di schegge di mattoni. Il pavimento della cucina era di una malta dura, in pendenza verso una grata di scarico in piombo vicino al lavatoio. Altri pavimenti erano ingegnosamente inclinati per essere lavati o per aumentare l'effetto scenico. Il passaggio dell'entrata principale è inclinato verso la strada, il pavimento dell'atrio ha una pendenza di 10 cm. verso il bacino dell'impluvio, e il pavimento del tablinum è in salita in modo che la statura del padrone di casa apparisse leggermente accresciuta quando andava a salutare i suoi clienti e così che venisse esaltata la prospettiva del giardino.*

MOSAICS   *IL MOSAICI*

In the centre of the Tablinum Floor was the **Theatre Mosaic,** the most exciting in the house, and which is now in the Naples Museum. This small 54 x 54 cm highly coloured picture had a scene of actors backstage. An elderly actor is rehearsing two younger men dressed in satyr costumes.

*Questo era il mosaico più spettacolare della casa dato che al centro vi era **il Mosaico del Teatro.** Questa piccola figura (54 x 54 cm.), riccamente colorata, raffigura degli attori che provano nel retroscena. Il mosaico non è più all'interno della casa, ma è conservato tra i tesori del Museo di Napoli.*

Emma Biggs of The Mosaic Workshop making a replica of the Theatre Mosaic with 50,000 tiny pieces of different coloured marble the Romans called it Opus Vermiculatum – maggot work
Emma Biggs, del Laboratorio dei Mosaici, mentre sta realizzando una copia del Mosaico del Teatro con 50.000 piccolissimi pezzi di marmo che i Romani chiamavano 'Opus Vermiculatum' – lavoro dei vermi.

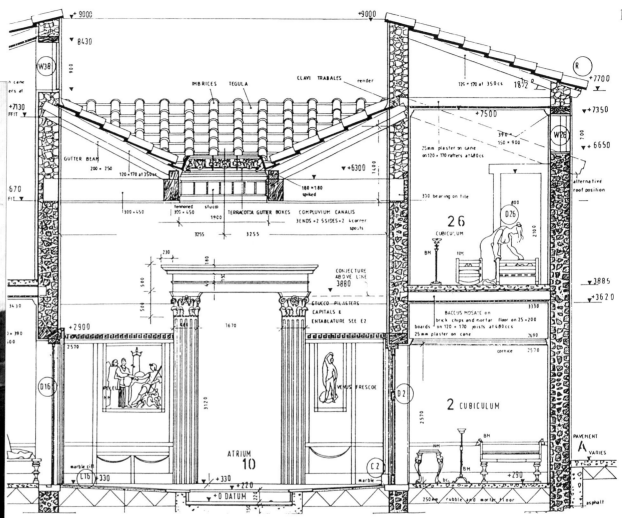

Clues for the reconstruction

The remains of a shop front at Herculaneum provide clues for the reconstruction. There are brick piers at the corners of the building for setting out the walls which are constructed of small blocks of tufa set in pozzolana sand and lime, forming, when filled with rubble, a wall of great strength. The stones are neatly shaped round the openings and carry heavy pine beams resting on brick pads. The timber plank shutters can be seen at the back of the shop. The upper floors consist of brick chip concrete laid on planks on heavy beams. The roof rafters are locked in the walls with clavi trabales (long iron nails).

Indizi sul sistema di costruzione

I resti di un negozio conservati ad Ercolano forniscono preziosi indizi che ci aiutano a capire i criteri di costruzione. Pilastri in mattoni agli angoli dell'edificio permettevano la successiva disposizione dei muri realizzati con piccoli blocchi di tufo mischiati a sabbia pozzolana e limo; il tutto, quando veniva riempito con pietrisco, formava un muro di estrema robustezza. Le pietre venivano levigate sul lato esterno e sostenevano il peso di pesanti travi di pino che si posavano sui blocchi di mattoni. Sul retro del negozio si possono vedere le assi di legno delle imposte. Il pavimento é realizzato con schegge di mattoni disposte su assi sopra grosse travi. Le travi del tetto sono fissate ai muri con "clavi trabales" (lunghi chiodi di ferro).

"Only the faces of the wall are dressed, the rest is laid at random. The wall should be absolutely vertical when tested against a plumb line." **Pliny c. 60 A.D.**

*"Solo le parti esterne vengono allineate, il resto del materiale può essere disposto in modo disordinato." "I muri devono risultare perfettamente perpendicolari quando vengono controllati con il filo a piombo." **Plinio 60 c. AC.***

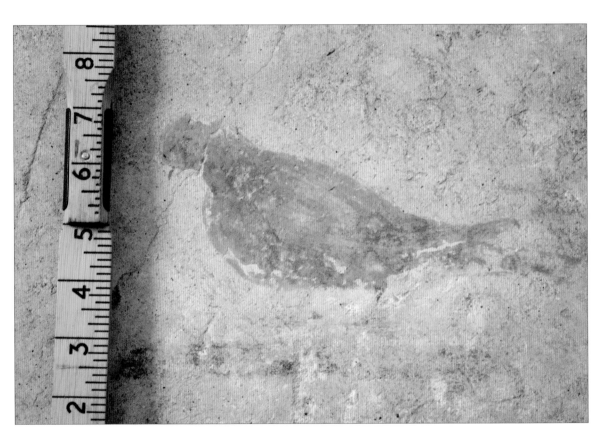

Bird from private study
Un'uccello del studio privato

Fish tailed Siren from Triclinium 79 A.D.
Sirena a coda di pesce dal triclinium 79 d.C.

PART II
THE RECONSTRUCTION

Having gathered together the disparate evidence of the house from the site, museums and books, a model has been built and coloured drawings made of each wall surface so that a reconstruction could be made. The following is a tour of the rooms of the house from the street entrance to the garden at the back.

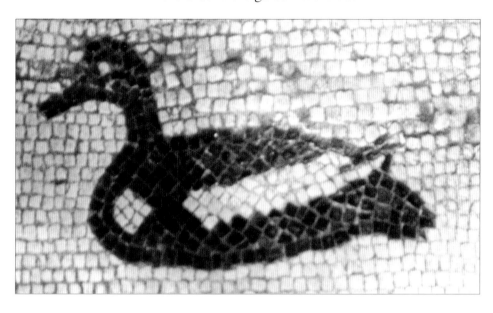

LA RICOSTRUZIONE

Dopo avere raccolto i vari dati e i reperti della casa in loco, nei musei e dai libri, si è costruito un plastico e sulle superfici dei muri sono state realizzate le decorazioni ad acquerello in modo da completare la ricostruzione. Nelle pagine seguenti vi è una visita delle stanze della casa partendo dall'ingresso sulla strada fino al giardino sul

Long Section from garden to **Via Nola**

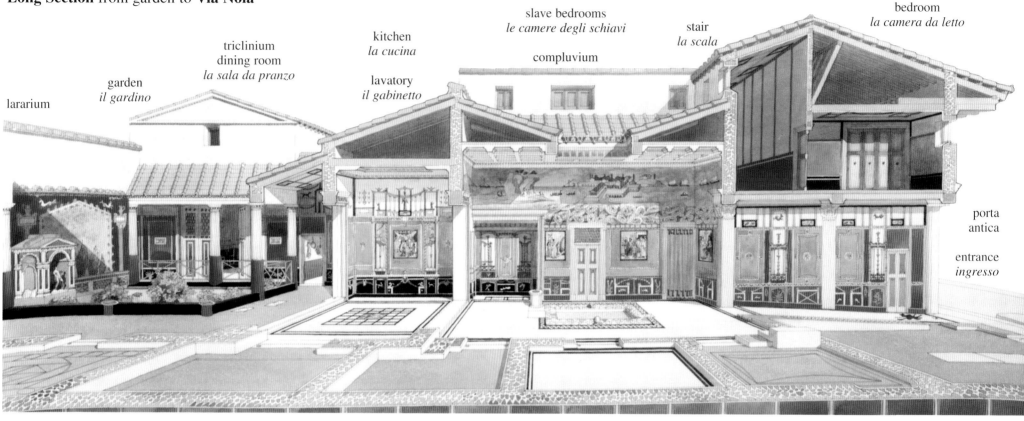

slave bedrooms
le camere degli schiavi

bedroom
la camera da letto

stair
la scala

kitchen
la cucina

triclinium
dining room
la sala da pranzo

complivium

garden
il gardino

lavatory
il gabinetto

lararium

porta
antica

entrance
ingresso

summer cubiculum
cubiculum estivo

tablinum
study
lo studio

store room
il guardaroba

ala

atrium
impluvium

guard room
il stanza del guardiano

shop
il negozio

bedroom
la camera da letto

Opening onto the garden by the kitchen was the summer dining room or **exedra.** Here the family might sit in the shade to have a light lunch of cheese, olives and fruit. Fresh bread was baked in a segmented round loaf no different from that sold in Pompeii today. This was a shady place for the women to spin wool and the children to play.

*Sull'altro lato della cucina, dalla parte del giardino, c'era **l'esedra**, la sala da pranzo estiva. Qui la famiglia poteva sedersi all'ombra e godersi un pasto leggero a base di formaggio, olive e frutta. Il pane fresco veniva cotto al forno in forme rotonde simili a quelle vendute ancora oggi a Pompei. In questo luogo in ombra, le donne filavano la lana e i bambini giocavano.*

Windows

None of the rooms opening onto the atrium had windows and must have been lit with oil lamps. Ventilation would have been in the form of a grill or diagonal timbers over the double doors. Windows to the **Summer cubiculum** and library were small and at high level, for privacy, security and ventilation. They may have had glass in them or shutters. Windows on the upper floor might be extremely narrow slots or wide shutters opening onto balconies over the street.

Le finestre

*Nessuna delle stanze che si aprivano sull'atrio era dotata di finestre e pertanto dovevano essere illuminate da lampade ad olio. La ventilazione veniva probabilmente ottenuta attraverso una grata o tramite assi disposte diagonalmente al di sopra delle porte a doppio battente. Le finestre del **cubiculum estivo** e della biblioteca erano piccole e collocate in alto per ragioni sia di sicurezza che di ventilazione. Queste potevano essere fornite di vetri o imposte. Le finestre al piano superiore dovevano essere estremamente strette oppure larghe con imposte che si aprivano su balconi affacciati sulla strada.*

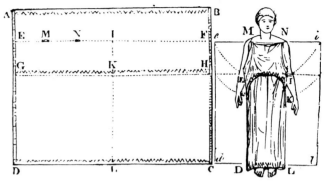

Tunico-pallium displayed.

*proprietario vivesse all'interno della casa stessa. Cibi e bevande venivano venduti alla porta accanto al **Thermopolium**. Si possono tuttora vedere delle terrine molto grandi (dolia) incassate nei banconi di marmo. C'era anche un panettiere dietro l'angolo.*

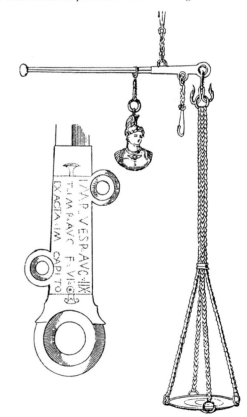

The Shops

The two shops in the front of the house were in a prime location in the city opposite the Forum Baths. Advantage would probably have been taken of this to sell expensive goods such as perfumes, jewellery or clothing and cloth. The shops may have been partitioned to form a store or an area for the shop keepers to sleep in. There would probably be timber stairs to the upper floor, but of these there are no trace, nor of the timber counters, shelving or cupboards. The marble sills in the front of each shop are slotted to receive the standard sliding tongued and grooved heavy planks that were all locked together with bronze and iron bars. There are pivots for the front doors, and also openings for doors into the entrance passage of the house, showing that the owner lived within the house. Drinks and food were sold next door at the **Thermopolium**. The huge pots (dolia) can be seen built into marble counters. There was also a bread shop around the corner.

I negozi

I due negozi disposti sulla facciata della casa godevano di una ubicazione particolarmente fortunata, proprio di fronte alle terme del Foro. La posizione privilegiata veniva probabilmente sfruttata vendendo articoli costosi come profumi, gioielli, abiti o tessuti. Questi negozi erano forse suddivisi all'interno in modo da avere una parte adibita a magazzino, o dove i negozianti potevano dormire. C'erano probabilmente delle scale di legno che conducevano al piano superiore, ma di questo non è rimasta alcuna traccia come neppure di banconi di legno, scaffali o armadi. Le soglie di marmo di fronte ad ogni negozio presentano una fessura che doveva servire ad accogliere le tipiche tavole pesanti che scorrevano incastrandosi tramite una linguetta. Queste venivano tenute insieme da sbarre di bronzo e di ferro. C'erano perni per le porte d'ingresso e anche aperture per le porte che davano sul passaggio di entrata della casa, in modo da mostrare come il

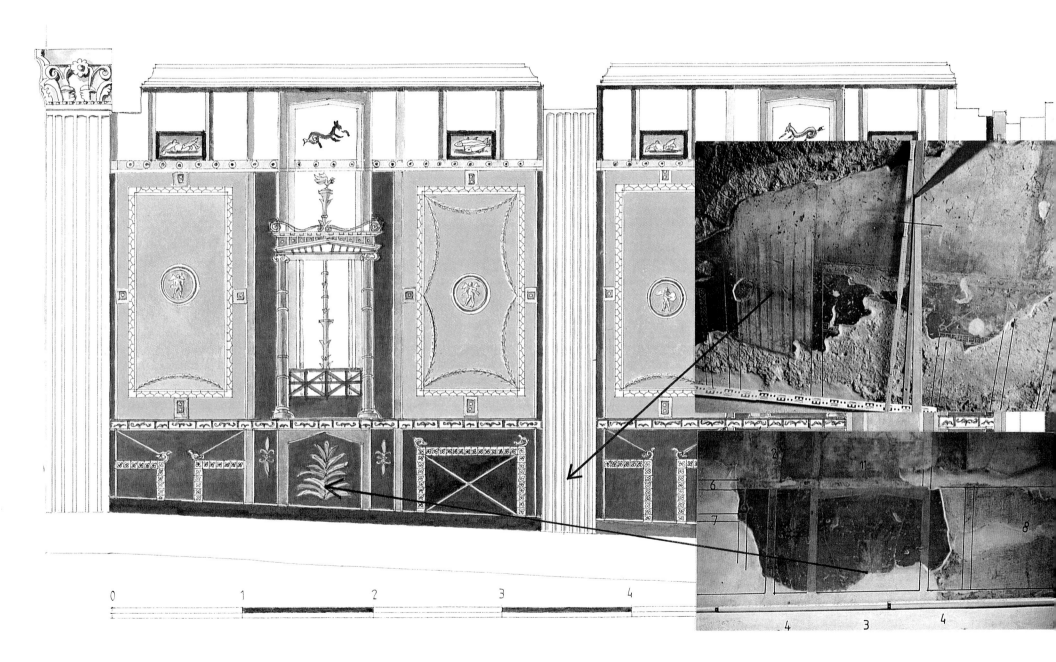

Clues from scraps of plaster build up a picture of the complete fresco
Un attento esame dell'intonaco, ci aiuta a ricostruire il disegno dell'affresco nella sua interezza.

Fauces: Entrance corridor *il corridoio d'entrata*

On the left corner of the atrium was a **guard room** with a recess under the stairs
for a bed. Here the guard sat with his dog watching everyone who came in from
the street. The staircase led up to the principal bedrooms of the house. This is
where two women fled at the time of the eruption.

*Sul lato sinistro dell'atrio c'era la **stanza del guardiano** con una rientranza sotto
le scale per il letto. Qui la guardia stava seduta con il suo cane controllando tutte
le persone che entravano dalla strada. La scala conduceva alle camere principali
della casa. È da qui che due donne scapparono al momento dell'eruzione.*

The Atrium

This was the grandest room in the house. There were six spectacularly beautiful pictures on the walls, including the "Marriage of Zeus and Briseis" and "Achilles and Philoctetes". In the middle of the room was a shallow marble basin surrounded by a complex cable pattern mosaic. This basin, or impluvium, collected the rain water from the aperture in the roof above. There was also a well fed with this water and water from the garden drain. To stop babies and adults falling down the well, it is topped with a marble drum shaped like a large cotton reel (puteal). In the morning the atrium would be opened to the clients who would wait to discuss business with the patron. In the afternoon it would be used by all the family.

L'atrio

Questa era la stanza più grande della casa. Sui suoi muri vi erano sei pitture eccezionalmente belle che comprendevano 'Il matrimonio di Zeus e Briseide' e 'Achille e Filottete'. Al centro della stanza c'era un bacino di marmo poco profondo circondato da un mosaico con un complesso motivo a canapo. Questo bacino, o impluvium, raccoglieva l'acqua piovana proveniente dalla apertura soprastante, sul tetto. Vi era anche un pozzo che veniva alimentato sia con questa acqua sia con quella proveniente dai lati del tetto che davano sul giardino. Per impedire che delle persone potessero cadere nel pozzo, questo era chiuso da un cilindro di marmo dalla forma di un grosso rocchetto di cotone (puteal). Al mattino l'atrio veniva aperto ai clienti in attesa di discutere d'affari con il padrone di casa. Nel pomeriggio veniva usato da tutta la famiglia.

On the right side of the atrium was a less important **Cubiculum**, possibly a guest bedroom. Next to this was a stair up to slave bedrooms. On the other side was a recess or **Ala** containing the shrine of the ancestors. As well as being revered, the wax busts of the ancestors, chosen by the patron to be put on display, could be an important social and political statement.

*Sul lato a destra dell'atrio c'era un meno importante **cubiculum**, probabilmente una camera da letto per gli ospiti. Di fianco vi era una scala che conduceva alle camere da letto degli schiavi. Sull'altro lato c'era una rientranza o **Ala** che conteneva le reliquie degli antenati. Non solo queste venivano venerate, ma i busti di cera rappresentavano dei simboli di affermazione sia sociale che politica.*

THE ROOMS *LE STANZE*

Off the atrium and next to the guard room was a principal bedroom (**Cubiculum**). The Pompeian red walls were decorated with cupids, and above was the famous Amazon frieze, now sadly washed away. The 1824 tracing in the Naples Museum shows semi naked Amazons fighting Greeks. They use archaic wicker shields and Mycenaean double axes or clubs; weapons more than a thousand years old at the time. *Vicino all'atrio e vicino alla stanza del guardiano, c'era la camera da letto principale (**Cubiculum**). I muri dipinti in rosso pompeiano erano decorati con cupidi, e sulla parte superiore vi era il famoso fregio delle Amazzoni, ora andato tristemente perduto. Il tracciato del 1824, conservato al Museo di Napoli, mostra Amazzoni seminude che combattono contro i Greci. Queste si proteggono con arcaici scudi di vimini e combattono usando asce micenee a doppia testa o mazze.*

Cornice ricostruita reconstructed cornice

Pattern from Athenian vase c.550 B.C.
Motivo del vaso greco, ca. 550 a.C.

East wall of the Amazon bedroom. Reconstructed from survey 1993–1995

Muro orientale delle Amazzoni nella camera da letto. Ricostruito in base ad un esame del 1993–95.

THE ROOMS *LE STANZE*

At the end of the atrium there is a marble step to the raised floor of the patron's study, **tablinum.** In the centre of this floor was the beautiful small **theatre mosaic**. The walls were elaborately decorated in yellow ochre above a black dado, and incorporated swans, lions, masks, sirens and columns twisted with plants.

During the morning the tablinum would have been separated from the private garden area of the house by large folding doors. There is a small corridor alongside the tablinum leading into the garden colonnade, **peristyle**. That was so slaves could pass to draw water from the well, make the beds, or attend to the matron's toilet without disturbing the patron.

*Alla fine dell'atrio vi era un gradino di marmo che conduceva al piano rialzato dove si trovava lo studio del padrone di casa (**tablinum**). Al centro del pavimento di questa stanza c'era il piccolo ma bel mosaico del teatro. L'elaborata decorazione dei muri, realizzata in giallo ocra sopra uno zoccolo nero, comprendeva cigni, leoni, maschere, sirene e piante rampicanti su colonne.*

*Al mattino il tablinum veniva tenuto separato dall'area privata del giardino della casa attraverso larghe porte pieghevoli. C'è un piccolo corridoio lungo il tablinum che conduce al colonnato del giardino (**peristilio**). In tal modo gli schiavi potevano prendere acqua dal pozzo, rifare i letti, o prendersi cura della toeletta della padrona di casa senza disturbare il padrone.*

The patron's study, **tablinum.** East wall reconstruction. The central picture is in the Naples Museum. The upper part is from a Raoul Rochette drawing of 1826. The lower part is taken from site measurements.
*Lo studio del padrone di casa (**tablinum**). Ricostruzione del muro orientale. La pittura centrale è conservata al Museo di Napoli. La parte superiore deriva dai disegni di Raoul Rochette del 1826. La ricostruzione della parte inferiore è il frutto di misurazioni in loco.*

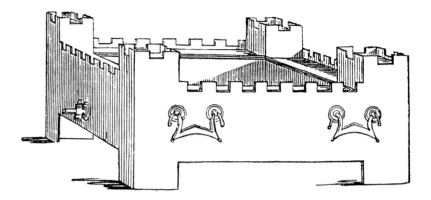

Heating

Portable bronze braziers heated the rooms in the winter months, which can be very cold and wet in Pompeii. Often these were combined with elaborate hot water kettles.

Il riscaldamento

Un braciere portatile di bronzo riscaldava le stanze nei mesi invernali, che a Pompei possono essere molto freddi e umidi. Spesso questi venivano usati unitamente a elaborati paioli contenenti acqua calda.

In the West wall of the tablinum was a large pair of double doors that opened onto the **patron's private study.** This is where the most important business would be conducted, and was a pretty vaulted room with the walls decorated with gold tendril columns, sirens, animals and birds on a white background.

*Sul muro occidentale del tablinum c'era una coppia di porte larghe a doppia anta che si aprivano sullo **studio privato** del padrone di casa. Questa stanza, dove si svolgevano gli affari più importanti, aveva un grazioso soffitto a volta ed era decorata con colonne dorate e a foggia di viticcio, sirene, animali e uccelli su uno sfondo bianco.*

Tabulæ, Calamus, and Papyrus

A dark bedroom on the left of the atrium was converted into a **store room** with three heavy shelves on brackets.

Many domestic objects were found in the house. A bronze bucket and well ropes, four iron hatchets, a hammer, furniture screws, a bronze tripod, a candelabrum and a ceiling lamp for two lights, locks, latches and door hinges, saucepans and kitchen utensils, a piece of soap, three lead weights, six fine plates, four glass decanters, three globular bottles, Samian cups, 56 oil lamps, a head of Hermes.

*Una stanza buia sulla sinistra dell'atrio era stata trasformata in un **ripostiglio** con tre mensole pesanti fissate su dei supporti.*
Nella casa vennero trovati molti oggetti domestici. Un secchio di bronzo e corde per il pozzo, quattro accette di ferro, un martello, viti per mobili, un tripode di bronzo, un candelabro e una lampada da soffitto a due luci, lucchetti, chiavistelli e cardini di porte, pentole e stoviglie da cucina, un sapone, tre pesi di piombo, sei piatti raffinati, quattro caraffe di vetro, tre bottiglie a forma sferica, coppe di Samo, 56 lampade ad olio, una testa di Ermete.

Next to the Summer bedroom was the **library.** On the wall there was to be seen in 1824 a circular painting of scrolls, wax writing tablets, pens and an ink pot. In this room measuring only 2.3 x 3.2 metres, the patron would have sat with his round boxes containing scroll books of parchment. These may have been kept in a cupboard. A small bronze inkwell was found in the house.

*Vicino alla camera da letto estiva c'era la **biblioteca**. Nel 1824 sui muri si poteva vedere una pittura circolare di cartigli di libri, tavolette per scrivere di cera, penne e un vasetto di inchiostro. In questa stanza, che misurava solo 2,3 X 3,2 m., il patrone di casa si sedeva con intorno le sue scatole rotonde che contenevano libri in forma di rotoli di pergamena. Questi venivano conservati in un armadio. Nella casa venne trovato anche un piccolo calamaio di bronzo.*

Ceiling plaster was laid on bundles of reeds tied up to the underside of the floor and roof beams.

Cornices were moulded in wooden moulds and then stuck on with plaster dabs. Vitruvius describes the construction of **Vaults**:*"Lay battens no more than two feet apart . . . arranging them in a curve . . . nail these to the underside of the floor or roof using ties fixed with many nails . . . With a cord of Spanish broom, tie flattened Greek reeds to the battens on the required curve."*

*L'intonaco del **soffitto** veniva steso su una fascina di canne legate al disotto delle travi del tetto e del pavimento. **I cornicioni** venivano sagomati e poi fissati con piccole quantità di malta. Così Vitruvio descrive la costruzione delle **volte**: "Sistema le assi a non più di due piedi di distanza . . . disponile con una forma curva . . . inchiodale al lato sottostante del pavimento o del tetto servendoti di corde fissate con molti chiodi . . . Con corde di saggina spagnola, fissa alle assi le canne greche appiattite disponendole secondo la curva desiderata."*

Ceiling from Herculaneum *Un soffito Ercolano*

On the left hand side of the garden there was a vaulted **Summer Cubiculum.** Like the library, it was lit with a small glass or shuttered window at high level for privacy, security and ventilation. There was just room for a double bed, a table and a candelabrum.

*Sul lato sinistro del giardino c'era un **cubiculum estivo** con il soffitto a volta. Come la biblioteca, era illuminato da una piccola finestra a vetri o a imposte collocata in alto in modo da garantire privacy, sicurezza e ventilazione. C'era spazio solo per un letto matrimoniale, un tavolo e un candelabro.*

Culina, the kitchen and latrina: abuzz with flies. The kitchen is conveniently placed by the dining room. Here were found little tripods that supported saucepans on the raised tiled cooking platform. Slaves prepared the food in bronze bowls and terracotta pots. Twigs and faggots for the fires were stored in an arch under the platform. The smoke went out through a small window above. The wooden table for preparing the meal and shelves for utensils have all perished. Washing-up water was emptied into the lavatory behind the short screen wall.

The house abutted a dye works behind the garden wall. One of the main ingredients of the dye was urine, so it must have been rather smelly by our standards. Judging by the number of medical remedies for eye sores described by Pliny, the presence of swarms of flies must have been a continual problem.

Culina, la cucina e la latrina: brulicante di mosche. La cucina era convenientemente ubicata vicino alla sala da pranzo. Qui vennero trovati piccoli treppiedi che reggevano casseruole sul piano di cottura che era rialzato e ricoperto da piastrelle. Schiavi preparavano il cibo in scodelle di bronzo e tegami di terracotta. Ramoscelli e fascine per il fuoco venivano riposte in un arco sotto il piano di cottura. Il fumo fuoriusciva da una piccola finestrella in alto. Il tavolo di legno su cui venivano preparati i pasti, e i ripiani per il cibo e gli utensili da cucina sono tutti andati perduti. L'acqua usata per le pulizie veniva buttata nel gabinetto che si trovava dietro un piccolo muro separatore. La casa confinava al di là del muro del giardino con una tintoria. Uno degli ingredienti principali delle tinture era l'urina, perciò possiamo immaginare che l'aria fosse piuttosto irrespirabile. Se teniamo conto del numero di medicine per curare infiammazioni degli occhi descritte da Plinio, possiamo dedurre che la presenza di sciami di mosche fosse un costante problema dell'epoca.

There were large folding doors to the **triclinium** which in the summer evenings would be opened onto the colonnade round the garden. This huge dining room, virtually a 6 metre cube, is decorated in very beautiful yellow ochre with three central pictures; "Venus and a nest of Cupids", "Theseus leaving Ariadne", and the "Myth of Diana" can still be made out. These are flanked by elaborate architectural scenes and blue sky. There is a fourth band of decoration above the dado in which there are hippocanths, fish tailed goats and dolphins on a wine dark background, separating animated panels of Centaurs, who have unwisely woken up lions which are turning to eat them. Here, propped up on their elbows, traditionally nine diners would have lain on their couches, and been served food by slaves. A small table was placed in the centre over a black and white mosaic of fish and ducks. There would have been poetry recitals after supper, and even dancers, singers and acrobats. These dinner parties could be extremely costly as Petronius describes.

C'erano larghe porte pieghevoli che si aprivano sul triclinium che nelle sere d'estate venivano aperte sul colonnato intorno al giardino. Questa enorme sala da pranzo, in pratica un cubo di 6 m., è magnificamente decorata in giallo ocra con tre pitture centrali: Venere e un nido di Cupidi, Teseo che abbandona Arianna e il mito di Diana è tutto ciò che si riesce ancora a intravedere. Queste pitture sono affiancate da scene con elaborate pitture su un cielo blu. C'é una quarta fascia di decorazioni sopra lo zoccolo che raffigura ippocampi, capre a coda di pesce e delfini su uno sfondo rosso vino, la quale separava dei pannelli con figure di centauri che, sventatamente, avevano svegliato dei leoni che stavano per divorarli. In questa sala, appoggiati sui loro gomiti, nove commensali stavano stesi sui tradizionali divani. Le vivande erano disposte su un tavolino centrale, sopra un mosaico bianco e nero raffigurante figure di pesci e anatre, e venivano servite ai commensali dagli schiavi. Dopo la cena, c'erano spettacoli con poeti recitanti, ballerini e acrobati. Queste cene, come descritto da Petronio, potevano essere estremamente costose.

A reconstruction of the **North Triclinium** wall. Details from a Raoul Rochette drawing of 1826. Venus is holding a nest of four babies. Now the lower part of the picture has disappeared.
*Ricostruzione del muro settentrionale del **Triclinio**. Particolari dai disegni di Raoul Rochette del 1826. Venere regge un nido che contiene quattro infanti. La parte inferiore della pittura è andata perduta.*

The garden provided cool moist shade. In other gardens traces of plants have been found by filling the holes caused by their roots with plaster. These were vines, orange trees, box and myrtle hedges. There was a lead drum in one corner for watering plants. On the back wall there was a trompe l'oeil scene of trees and sky. The shell of a pet tortoise was found in the garden.

Il giardino procurava una fresca e umida ombra. In altri giardini sono state rinvenute tracce di piante riempiendo con cemento i buchi lasciati dalle loro radici. Si trattava di vigne, aranci, siepi di bosso e di mirto. In un angolo c'era un bidone di piombo pieno d'acqua per annaffiare le piante. Sul muro posteriore c'era una pittura a trompe l'oeil che raffigurava degli alberi con il cielo sullo sfondo. Nel giardino venne trovato anche il guscio di una tartaruga.

An antefix: end capping tile
Una formella

Altars to the Gods

The **lararium** in the garden is one of the household altars. It is in the form of a little temple with a miniature staircase each side. In the alcove was found a bronze statue of a faun or Bacchus, protector of the family. Off the atrium was the recessed **ala** that held the wax busts of the ancestors, placed on a shelf or kept in a cupboard. The ancestors of the family were considered very important just as they are today in China. The floor of the alcove has an elaborate geometric mosaic of swastikas (an ancient Asiatic symbol of peace) and vine leaves, symbols of fertility. In the kitchen there was probably a small altar for food offerings, with **two painted snakes** eating from a little table. The snakes symbolised protection and fertility for the household .

Altari agli Dei

*Il **lararium** nel giardino è uno degli altari della casa. Ha la forma di un piccolo tempio con scale in miniatura a entrambi i lati. Nell'alcova venne ritrovata la statua di bronzo di un fauno o di Bacco, protettore della famiglia. Vicino all'atrio vi era, arretrata, l'**ala** che conteneva i busti di cera degli antenati appoggiati su una mensola o riposti in un armadio. Gli antenati della famiglia erano considerati molto importanti, come sono oggi in Cina. Il pavimento dell'alcova aveva un elaborato mosaico con un disegno geometrico a svastiche, (un antico simbolo di pace originario dell'Asia), e foglie di vite, simboli di fertilità. Nella cucina, probabilmente, c'era un piccolo altare per offerte di cibo, con **due serpenti dipinti** che si cibavano ad un piccolo tavolo. I serpenti erano simbolo di protezione e fertilità per la casa.*

PART III
OBSERVATIONS ON THE DETAILS

The house is astonishingly rich in its design. Some of the many objects found in the house are also very beautiful. The Pompeians delighted in using geometry and proportion. They were also skilled hydraulic engineers and builders. But there was a reverse side. Their sanitation must have stunk, their eyesight was badly affected by flies, their games were cruel beyond belief, and they relied on slaves. We gain an insight into some of these aspects of their life by looking at the details of the house.

PARTE III
ESAME DEI PARTICOLARI

La casa ha un design incredibilmente ricco. Alcuni tra i numerosi oggetti ritrovati al suo interno sono di grande bellezza. I Pompeiani amavano l'uso della geometria e delle proporzioni, erano anche abili ingegneri idraulici e costruttori. Ma vanno anche rilevati degli aspetti negativi: le fognature puzzavano, gli occhi venivano rovinati da malattie trasmesse dalle mosche, i loro passatempi erano di una crudeltà al di là di ogni immaginazione e la loro civiltà si basava sul lavoro degli schiavi. Certi particolari della casa ci consentono di fare luce su alcuni di questi aspetti della loro vita.

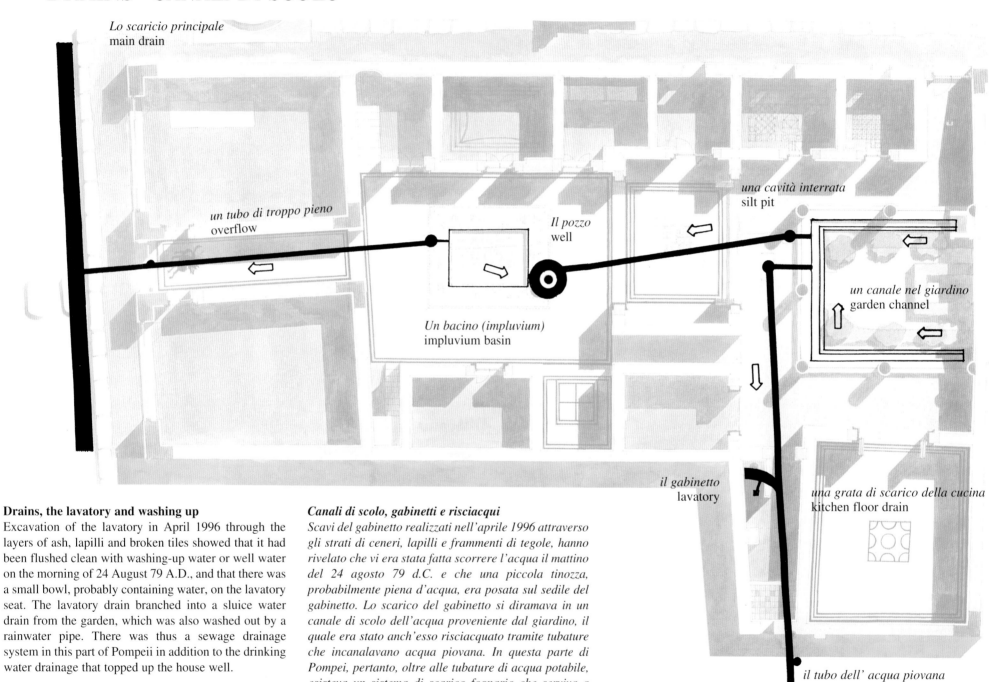

Lo scaricio principale
main drain

un tubo di troppo pieno
overflow

una cavità interrata
silt pit

Il pozzo
well

un canale nel giardino
garden channel

Un bacino (impluvium)
impluvium basin

il gabinetto
lavatory

una grata di scarico della cucina
kitchen floor drain

il tubo dell' acqua piovana
rain water pipe

Drains, the lavatory and washing up

Excavation of the lavatory in April 1996 through the layers of ash, lapilli and broken tiles showed that it had been flushed clean with washing-up water or well water on the morning of 24 August 79 A.D., and that there was a small bowl, probably containing water, on the lavatory seat. The lavatory drain branched into a sluice water drain from the garden, which was also washed out by a rainwater pipe. There was thus a sewage drainage system in this part of Pompeii in addition to the drinking water drainage that topped up the house well.

Canali di scolo, gabinetti e risciacqui

Scavi del gabinetto realizzati nell'aprile 1996 attraverso gli strati di ceneri, lapilli e frammenti di tegole, hanno rivelato che vi era stata fatta scorrere l'acqua il mattino del 24 agosto 79 d.C. e che una piccola tinozza, probabilmente piena d'acqua, era posata sul sedile del gabinetto. Lo scarico del gabinetto si diramava in un canale di scolo dell'acqua proveniente dal giardino, il quale era stato anch'esso risciacquato tramite tubature che incanalavano acqua piovana. In questa parte di Pompei, pertanto, oltre alle tubature di acqua potabile, esisteva un sistema di scarico fognario che serviva a tenere ad un livello costante l'acqua del pozzo di casa.

THE LAVATORY *LA LATRINA*

The shaft under the timber lavatory seat, smashed in the eruption, was found to be 75 cm square at the top descending to a steeply sloping wide drain 90 cm to 1.3 m below. An ablution bowl 11 cm diameter was found in the bottom. This would have contained water and a communal sponge on a stick which was used instead of lavatory paper. Just in front of the seat, in the kitchen floor, was a perforated lead gulley held by four iron nails. The kitchen washing up water was used to sluice down the lavatory. This arrangement is common in Pompeii, and shows that neither the patron, nor his wife, nor children would have had any qualms about sitting on the lavatory in the kitchen in front of their slaves.

Il buco sotto il sedile di legno della latrina, distrutto dall'eruzione, una volta riportato alla luce rivelò delle dimensioni di 75 cm. quadrati alla cima che si restringevano lungo una larga tubatura che si inclinava fortemente fino a raggiungere una profondità tra i 90 cm. e 1,30 m. Sul fondo è stato ritrovato un catino dal diametro di 11 cm. usato per le abluzioni. Questo conteneva dell'acqua ed una spugna fissata su un bastoncino che veniva usata da tutti come carta igienica. Proprio di fronte al sedile, nel pavimento della cucina, c'era un tubo di scolo di piombo sorretto da quattro chiodi di ferro. L'acqua usata in cucina per pulire veniva usata per sciacquare abbondantemente il gabinetto. Questa soluzione è diffusa in tutta Pompei, e mostra come neppure il padrone di casa, né sua moglie o i suoi figli si facessero alcuno scrupolo di sedersi sul gabinetto nella cucina di fronte ai loro schiavi.

Bowl
Un catino

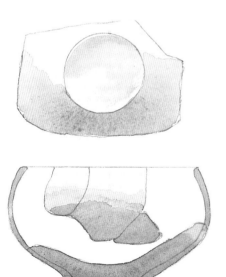

The figure in this picture is kneeling at the top end of the drain from the garden.
La persona nella foto è inginocchiata all'inizio del canale di scolo proveniente dal giardino.

The Well water supply

Lowering a torch and mirror down the well in the atrium showed that the walls are rough hewn and not smoothed with rendering as a cistern would have been. Judging by the deep grooves of the ropes in the marble of the well head, it was probably deeper than six metres. By ultrasound the diameter was found to be 1.5 metres. Carbonised ropes and a bronze bucket were found on the site. One can speculate that, in the period before Augustus, a slow earthquake uplifted the ground of Pompeii and may have begun to dry up the wells, necessitating the installation of a lead piped water supply. However so far no pipes have been found in the House of the Tragic Poet. Rain water was collected from the garden roofs and ran in a channel to a duct under the floor to the well.

La fornitura d'acqua dal pozzo

Calando una torcia e uno specchio giù nel pozzo dell'atrio, vediamo come i muri fossero sgrossati rozzamente e non intonacati, come invece sarebbe stato fatto nel caso di una cisterna. In base ai solchi profondi lasciati dalle corde sul marmo della cima del pozzo, possiamo dedurre che fosse profondo probabilmente oltre sei metri. Usando gli ultrasuoni, si è potuto scoprire che il diametro del pozzo è di 1,5 m. Delle corde carbonizzate e un secchio da pozzo di bronzo sono stati trovati in loco. Si potrebbe ipotizzare che nel periodo precedente ad Augusto un leggero terremoto, sollevando il suolo di Pompei, possa avere iniziato a seccare i pozzi, rendendo necessaria l'installazione di tubature per provvedere alla fornitura d'acqua. Tuttavia, finora nella Casa del Poeta Tragico non sono state rinvenute tubature. L'acqua piovana veniva raccolta dal giardino pensile e scorreva attraverso un canale in un condotto sotterraneo fino al pozzo. I

Silt pit *Una cavita interrata*

There is a **silt pit** with a round marble cover in the garden drain to the well to stop it filling with dirty water and mud. Rain water was also collected from water spouts around the large hole in the roof of the atrium. These jetted into the shallow basin (**impluvium**) in the atrium floor which had a duct into the well. There is also an overflow pipe from the impluvium leading to the street. This must have had a removable plug so that the water could drain to the well.

*Nel condotto del giardino c'era una **cavità interrata** ricoperta da un coperchio di marmo, in modo da impedire che il pozzo venisse riempito da acqua sporca e fango. L'acqua piovana veniva raccolta anche da tubi di scarico intorno al grande buco nel soffitto dell'atrio. Questi tubi incanalavano l'acqua nel bacino poco profondo (**impluvium**) nel pavimento dell'atrio, che aveva un condotto che si scaricava nel pozzo. C'era anche un tubo di troppo pieno che dall'impluvio sboccava sulla strada. Questo tubo probabilmente aveva un tappo rimovibile in modo che l'acqua potesse defluire verso il pozzo.*

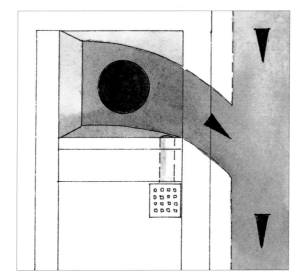

Lavatory plan *pianta dell latrina*

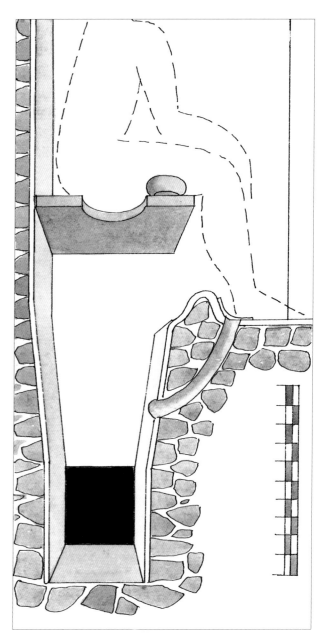

Lavatory section 1.3m deep
Sezione della latrina profonda 1.3m

The terracotta roof tiles were massive (49 cm x 60 cm), all cleverly interlocking, and their joints were covered with half-round tiles. There was an elaborate gutter round the hole **(compluvium)** in the atrium roof. Each row of tiles descended into a box tile with a central water spout in the mouth of a lion or grotesque face. The huge valley gutter tiles, 75 x 75 cm, ran into terracotta dogs sitting astride shell waterspouts. There were four dogs and 14 lion heads to the compluvium, spouting jets of rain water into the basin below.

Le tegole di terracotta erano enormi (49 X 60 cm.), tutte ingegnosamente incastrate l'una con l'altra; i punti di giuntura erano coperti con altre tegole semicircolari. C'era un elaborato sistema di scolo intorno all'apertura (compluvium) nel soffitto dell'atrio. Ogni fila di tegole degravdava fino a raggiungere una tegola chiusa con un becco centrale a forma di becco di leone o di testa di grottesca che serviva per lo scarico dell'acqua. Le enormi tegole disposte nei compluvi (75 X 75 cm.) confluivano verso cani di terracotta che sedevano a cavalcioni di conchiglie da cui sgorgava l'acqua. Nel compluvio c'erano quattro cani e quattordici teste di leoni, dalle quali sgorgavano getti di acqua piovana che si raccoglievano nel bacino sottostante.

Owing to the destruction of evidence in the 1824 excavation, it is not possible to tell if the atrium ceiling was coffered. Fresco paintings of interiors would suggest that it was, though the plasterwork in the house of Cornelio Ruffo and the House of the Wooden Partition suggest that the ceilings sloped on the underside of the rafters. Until Dr Varone, who is scientifically excavating the Casa di Casteli Amanti, comes to the atrium, there is no proper record of plasterwork or timber panels that made up the ceilings of atria. This absence of evidence has led some people to assume that these ceilings were bare revealing the timbers and tiles. This seems highly unlikely, considering the sophistication of atrium wall decorations.

Suggested **coffered ceiling** to the atrium.
Soffitto a cassettone ipotizzato per l'atrio

A causa delle distruzioni operate durante gli scavi del 1824, non è possibile stabilire se il soffitto dell'atrio fosse a cassettone. Le pitture a fresco degli interni lascerebbero supporre che lo fosse, sebbene i lavori in stucco della Casa di Cornelio Rufo e della Casa dal Tramezzo di Legno sembrano indicare che i soffitti degradassero sui lati sotto alle travi. Fino a quando il Dr. Varone, che sta scavando in modo scientifico la Casa degli Amanti, non sarà giunto all'atrio, continuerà a mancare una precisa rilevazione degli intonaco o delle travi di legno che potevano costituire i soffitti degli atri. L'assenza di prove ha spinto alcuni studiosi a ritenere che questi soffitti fossero spogli e che lasciassero in vista le travi e le tegole. Questa ipotesi sembra altamente improbabile dato l'alto livello di elaborazione delle decorazioni murarie.

Replica **impluvium mosaic**
*Copia del **mosaico dell'impluvio***

Plastering and painting the walls

The plasterer's tools were very like modern ones. The walls and ceilings were very carefully plastered with several layers, the final coat being very thin, and containing marble dust to give a high sheen to fresco painting. *"Stucco never has the necessary brilliance unless there are three coats of sand mortar and two of marble plaster."* **Vitruvius c. 50 A.D.** The ground colours were brushed on while the plaster was still damp. The yellow ochre, blue, brown, red and black colours, mixed with water in small earthenware pots, were laid to horizontal and vertical lines scored in the plaster. Then details were scratched on and painted with small paint brushes in secco: paint mixed with glues and egg white.

Intonacare e dipingere i muri

Gli attrezzi usati per intonacare erano molto simili a quelli moderni. I muri e i soffitti venivano intonacati con cura in diversi strati, dato che lo strato finale era molto sottile, e contenevano polvere di marmo che serviva a dare un'elevata lucentezza alla pittura ad affresco. "Lo stucco non possiede mai la lucentezza desiderata a meno che non vengano stesi tre strati di malta di sabbia e due di stucco di marmo." Vitruvio ca. 50 d.C. I colori macinati venivano stesi a pennellate mentre l'intonaco era ancora umido. I colori giallo ocra, blu, marrone, rosso e nero, miscelati con acqua in scodelline di terraglia, venivano stesi seguendo linee orizzontali e verticali incise sull'intonaco. Quindi veniva fatto uno schizzo dei particolari che venivano dipinti con piccoli pennelli a secco (pittura mescolata a colla e bianco d'uovo).

Borders and details, using secco colours mixed in small earthenware pots, were painted with little brushes to plumb and level lines scratched in the plaster.
I bordi e i particolari degli affreschi, realizzati con colori a secco mescolati in piccole scodelle in terracotta, venivano dipinti con piccoli pennelli seguendo linee verticali e orizzontali incise nell'intonaco.

PLASTERWORK *L'INTONACO*

Sequence of plastering and painting

So that the plaster did not set before the paint was applied, the walls were divided horizontally into three zones, and plastered from top to bottom. The upper section was generally white and painted in a linear manner in browns and greys with thin yellow ochre columns and green garlands. The middle section in yellow ochre or Pompeian red, was divided vertically into three parts, sometimes by architectural vistas of sky. In the centre was a painting such as "Venus fishing with Cupid", or "Orpheus being pelted with stones". The single point perspective of the architectural frame was, as Vitruvius would approve, focussed invariably on the navel of the semi-naked hero or heroine in the main picture. These pictures would be copied from paper scrolls by the painters. The lowest dado panel was either black or red.

Sequenza di stesura dell'intonaco e della pittura

Per evitare che l'intonaco si asciugasse prima della realizzazione della pittura, i muri venivano divisi orizzontalmente in tre zone e intonacati dall'alto verso il basso in quell'epoca. Il pannello superiore era generalmente bianco e veniva dipinto in modo lineare in sfumature di marrone e di grigio con sottili colonne giallo ocra e ghirlande verdi. La zona centrale, in giallo ocra o rosso pompeiano, veniva divisa verticalmente in tre parti, talvolta da viste architettoniche del cielo. Nel centro vi erano dipinto come Venere a pesca con Cupido, o Orfeo lapidato. Il punto di fuoco centrale prospettico della struttura architettonica di queste scene era, come Vitruvio avrebbe approvato, immancabilmente sull'ombelico dell'eroe o eroina, seminudi, del dipinto principale. Questi dipinti venivano copiati da rotoli di carta dai pittori più esperti. Il pannello in basso poteva essere sia nero sia rosso con figure di piante e uccelli, o di maschere, grifoni e cigni.

Reconstruction of the South Wall of the **Summer cubiculum** on the East side of the garden.
Ricostruzione in aquaerello del muro meridionale del **cubiculum estivo.**

The first operation *La prima fase*

The second operation *La seconda fase*

The third operation *La terza fase*

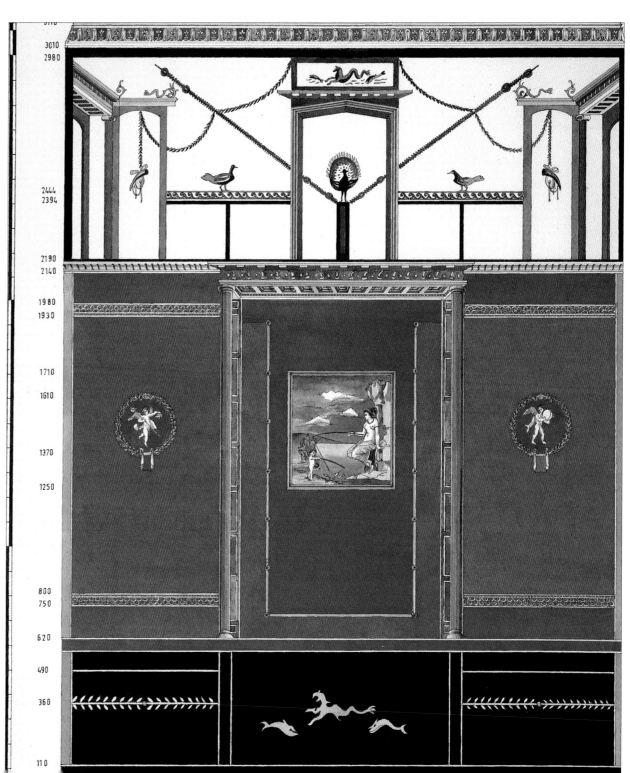

DECORATION *LA DECORAZIONE*

Vitruvius's ἀναλογια. The wall is symetrically divided according to Pythagorean harmonic proportions into a series of overlapping squares.
L' "analogia" (ἀναλογια) di Vitruvio. Il muro veniva suddiviso simmetricamente secondo armoniche proporzioni pitagoriche in una serie di quadrati che si sovrappongono.

The effect of placing scenes of gods, goddesses and heroes of myth between architectural vistas was surely to create an illusion that the patron and his family were participating in those events. There was an ambiguity between the furnishing and surroundings of the room and the pictures, as in Leonardo da Vinci's painting "The Last Supper" in the refectory of Santa Maria delle Grazie in Milan. His subtle use of perspective created an illusion for the monks that they were actually dining with Jesus and eating from similar bowls on a similar table.
Collocando scene di dei, dee ed eroi della mitologia fra viste architettoniche si voleva sicuramente creare l'effetto illusionistico che il padrone di casa e la sua famiglia partecipassero agli eventi raffigurati. Esisteva una certa ambiguità fra il mobilio e il contenuto delle stanze e ciò che era raffigurato nei dipinti, in un modo simile a quello con cui Leonardo da Vinci dipinse 'L'ultima cena' nel refettorio della basilica di Santa Maria delle Grazie a Milano. Qui il sottile uso della prospettiva creava nei monaci l'illusione che essi stessero effettivamente cenando con Gesù, mangiando da piatti simili, su un tavolo simile.

The Pictures. The House contained 37 wonderful paintings on the walls. Children were brought up surrounded by strange images. There were Homeric and Virgilian scenes of soldiers abandoning their lovers for war, of mothers giving birth to eggs containing twins, and of a daughter being sacrificed by her father for the sake of a fair wind. There were friezes of Amazon women fighting Greeks, using Minoan double axes and ancient wicker shields. A daughter, whose father spent the day watching gladiators killing each other, might have asked some awkward questions about these paintings. As well as being sophisticated status symbols and designed to give pleasure, the paintings would almost certainly have been used for instruction. If your army demanded that you sacrifice your daughter for a fair wind, what would you do? Why should Theseus desert Ariadne who had just saved his life from the Minotaur?

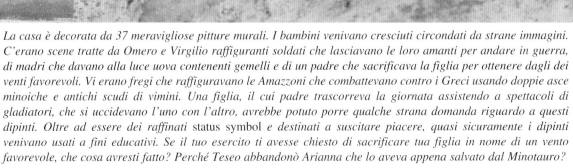

Le pitture

La casa è decorata da 37 meravigliose pitture murali. I bambini venivano cresciuti circondati da strane immagini. C'erano scene tratte da Omero e Virgilio raffiguranti soldati che lasciavano le loro amanti per andare in guerra, di madri che davano alla luce uova contenenti gemelli e di un padre che sacrificava la figlia per ottenere dagli dei venti favorevoli. Vi erano fregi che raffiguravano le Amazzoni che combattevano contro i Greci usando doppie asce minoiche e antichi scudi di vimini. Una figlia, il cui padre trascorreva la giornata assistendo a spettacoli di gladiatori, che si uccidevano l'uno con l'altro, avrebbe potuto porre qualche strana domanda riguardo a questi dipinti. Oltre ad essere dei raffinati status symbol e destinati a suscitare piacere, quasi sicuramente i dipinti venivano usati a fini educativi. Se il tuo esercito ti avesse chiesto di sacrificare tua figlia in nome di un vento favorevole, che cosa avresti fatto? Perché Teseo abbandonò Arianna che lo aveva appena salvato dal Minotauro?

Briseis leaving Achilles in the presence of Phoenix and Patroclus.

During the ten year Trojan War the Achaeans sacked neighbouring villages and divided the spoils. Achilles, their greatest fighter, gained the girl Briseis. Their leader, Agamemnon, won Chryseis. However Chryseis was the daughter of a priest of Apollo, who demanded her return for a ransom. Agamemnon refused, as he preferred Chryseis to his own wife. The priest then asked Apollo to send a deadly plague among the Achaeans. Agamemnon was told he must return his prize before the plague would end. Agamemnon, unwilling to lose face, said he would return Chryseis, but would take Achilles' girl Briseis instead. Agamemnon sent the warrior Phoenix to collect Briseis. Achilles allowed his best friend, Patroclus to hand her over, but Briseis wept for love of Achilles. The plague ended. Achilles angrily stayed in his tent by the ships and refused to fight, however desperate the Achaeans were, until Agamemnon should return Briseis.

Briseide separata da Achille di fronte a Fenice e Patroclo.

Durante la decennale guerra di Troia gli Achei facevano razzie nei villaggi dei dintorni e dividevano fra loro il bottino. Ad Achille, il loro più grande guerriero, toccò Briseide e ad Agamennone, il capo dell'armata, venne data Criseide che era la figlia di un sacerdote di Apollo il quale chiese che gli venisse restituita la figlia in cambio di un riscatto. Agamennone rifiutò dato che preferiva Criseide persino a sua moglie. Il sacerdote allora chiese ad Apollo di colpire il campo degli Achei con un'epidemia mortale. Ad Agamennone venne detto che avrebbe dovuto rendere la sua preda di guerra affinché l'epidemia potesse cessare. Egli, non volendo accettare l'umiliazione, disse che avrebbe reso Criseide, ma che in cambio avrebbe voluto Briseide, la preda di Achille. Allora Agamennone mandò il guerriero Fenice a prendere Briseide. Achille consentì che il suo migliore amico, Patroclo, restituisse la ragazza, in lacrime perché innamorata di Achille. L'epidemia finì, ed Achille rimase irosamente ritirato nella sua tenda vicino alle navi, rifiutandosi di combattere, incurante di quanto gli Achei potessero essere disperati, fino a quando Agamennone non gli avesse restituito Briseide.

Venus and the nest of cupids.

Venus is the goddess of sexual desire and love. Her son is Cupid, a mischievous child who causes instant passion in those he shoots with his arrows. He is winged and occasionally said to be blind or blindfolded. Some authorities have thought this picture actually shows Leda and her children. Zeus loved Leda who was totally loyal to her husband, Tyndareus, King of Sparta. Zeus therefore disguised himself as a swan to seduce Leda, and she in due course gave birth to two eggs. In one egg were her mortal children, Clytemnestra and Castor, and in the other her children by Zeus, Pollux and Helen. Helen grew up to be the most beautiful woman in the world and was the direct cause of the Trojan War when Paris, prince of Troy, abducted her.

Venere e il nido dei Cupidi.

Venere è la dea del desiderio sensuale e dell'amore. Cupido è suo figlio, un bambino malizioso le cui frecce suscitano una passione improvvisa in chiunque ne venga colpito. È alato e viene talvolta descritto come cieco o con gli occhi bendati. Alcuni studiosi ritengono che questa pittura in realtà raffiguri Leda e i suoi figli. Zeus si innamorò di Leda la quale era assolutamente fedele al marito Tindaro, re di Sparta. Perciò Zeus, per sedurre Leda, si celò dietro le sembianze di un cigno e, trascorso il tempo necessario, Leda diede alla luce due uova: in una vi erano i fratelli mortali, Clitemnestra e Castore, nell'altro i figli di Zeus, Polluce e Elena. Elena crebbe e diventò la più bella delle donne e fu la causa della guerra di Troia quando Paride, principe di Troia, la rapì.

Theseus leaving Ariadne.

Minos the King of Crete demanded a tribute of seven youths and seven virgins from the Athenians because they had killed Minos's son when he competed in the games at Athens. This tribute of youths and virgins was to feed the monstrous Minotaur, a man with a bull's head, who was penned in a maze. Theseus, prince of Athens, came with the youths and maidens, and Ariadne, daughter of King Minos, fell in love with him. When he entered the maze she gave him a sword to kill her monstrous brother and a ball of string to lead him back to the entrance of the labyrinth. All went according to plan and Theseus escaped with Ariadne and they sailed back to Athens. On the way, however, they stopped at the island of Naxos for the night. In the morning Theseus left Ariadne sleeping and sailed away without her. Desolate, she was neverthless comforted by the god Bacchus.

Teseo abbandona Arianna.

Minosse re di Creta chiese agli Ateniesi un tributo di sette vergini poiché essi avevano ucciso suo figlio mentre concorreva ai giochi ateniesi. Questo tributo di sette vergini doveva essere dato in sacrificio al mostruoso Minotauro, un uomo con la testa di toro imprigionato in un labirinto. Teseo, principe degli Ateniesi, giunse con le giovani vergini e Arianna, figlia del re Minosse, si innamorò di lui. Quando Teseo entrò nel labirinto, Arianna gli diede una spada per uccidere il suo mostruoso fratello ed una matassa di filo che lo potesse ricondurre all'entrata del labirinto. Tutto andò secondo i piani e Teseo fuggì con Arianna navigando verso Atene. Lungo la navigazione, si fermarono a pernottare nell'isola di Nasso; al mattino Teseo lasciò Arianna mentre dormiva e si imbarcò senza di lei. Benché disperata, ella venne poi consolata dal dio Bacco.

The sacrifice of Iphigenia.

Paris, prince of Troy, abducted Helen, the most beautiful of women, and wife of Menelaus, brother of Agamemnon. Agamemnon gathered a thousand ships at Aulis to sail against Troy. He, however, had killed a deer sacred to Artemis, goddess of the moon. Furiously, the goddess becalmed the ships until Agamemnon should make amends and sacrifice to her his eldest and most loved daughter, Iphigenia. Agamemnon prepared to obey, but just as the sacrificial knife descended Artemis repented and substituted a deer in the place of Iphigenia, whom she whisked away to be her priestess.

Il sacrificio di Ifigenia.

Paride, principe di Troia, rapì Elena la più bella delle donne e moglie di Menelao, fratello di Agamennone. Quest'ultimo raccolse rapidamente un migliaio di navi nell'Aulide per navigare verso Troia. Tuttavia, egli aveva ucciso un cervo sacro ad Artemide, dea della luna, che furibonda avrebbe calmato le acque solo quando Agamennone avesse rimediato al proprio errore e le avesse offerto in sacrificio la sua amatissima figlia maggiore Ifigenia. Quando Agamennone, pronto ad obbedire, aveva già sollevato il coltello sacrificale, Artemide si pentì e mise un cervo al posto di Ifigenia che portò via affinché diventasse una sua sacerdotessa.

Griffins, Hippocanths, Sirens and other creatures.
Depicted in the wall paintings are a whole collection of fantastic creatures. They perch on the tops of entablatures, hold up borders of pictures in their arms, and prance on their hind legs in dado panels. Horses with fish tails, women with bird bodies, lions with eagle faces, and men with bull heads and legs. Not every Roman approved of this style of decoration: *"Real things are scorned in this time of bad taste. There are now fresco paintings of monstrosities, instead of honest depictions of real things. For example we have reeds instead of columns ..... and pediments are capped with tendrils and volutes, and human figures sit on them without reason. Sometimes there are human heads and animals sprouting from stalks."* **Vitruvius** c. 10 A.D.
But where did these images come from? They are much older than Pompeii itself, and can be traced to legendary religious creatures, some as far back as 5,750 B.C. in Turkey, Sumeria, Babylon, Phoenicia and Egypt. By the time the Pompeian house painters used them, many, but not all, had lost their original religious meaning and become mere decorations.

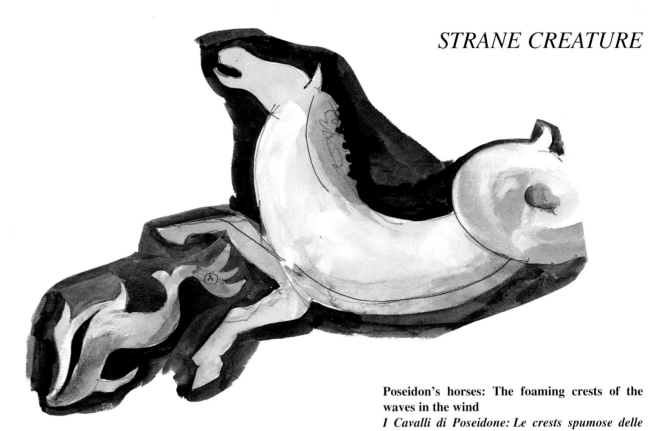

Poseidon's horses: The foaming crests of the waves in the wind
I Cavalli di Poseidone: Le crests spumose delle onde del mare nel vento

Griffin *il grifo*

Grifoni, Ippocampi, Sirene ed altre creature.
Sugli affreschi murali era raffigurata una collezione completa di creature fantastiche. Sono appollaiate sulla cima delle trabeazioni, sorreggono con le loro braccia i bordi dei dipinti e si impennano sulle zampe posteriori nei pannelli dello zoccolo. **Cavalli con code di pesce, donne con corpi di uccello, leoni con teste d'aquila** *e uomini con teste e zampe di toro. Non tutti i Romani approvavano questo tipo di decorazioni. "Le cose vere vengono disdegnate in quest'epoca di cattivo gusto. Esistono infatti degli affreschi che raffigurano delle mostruosità, invece di oneste rappresentazioni di soggetti reali. Ad esempio possiamo trovare canne al posto di colonne . . . e i frontoni che culminano con viticci e volute e con figure umane che vi siedono sopra senza ragione. Talvolta si possono vedere teste umane e animali che germogliano come fiori da dei gambi." –* **Vitruvio** *ca. 10 d.C. Ma qual è l'origine di queste immagini? Sono in realtà più vecchie della stessa Pompei, e si possono identificare con creature religiose mitiche, alcune delle quali risalgono addirittura al 5750 a.C. in Turchia, Mesopotamia, Babilonia, Fenicia ed Egitto. All'epoca in cui i pittori delle case pompeiane dipinsero queste creature, molte, ma non tutte, avevano ormai perso il loro originario significato religioso ed erano diventate semplici elementi decorativi.*

Goat headed fish and dolphin from Triclinium *Capra con testa di pesce e delfino dal triclinium.*

Harpy c. 400 B.C.
Arpia ca. 400 a.C.

The **Rams' heads** that appear on the ends of arms of chairs can be traced to the statues of neolithic fertility goddesses who rested their fat terracotta elbows on the backs of two sheep. **Lion** door-knockers stem from lions which guarded the gateways of Mycenaean and Hittite citadels c. 1,600 B.C. Lions with eagles' heads and wings that are painted on the black dado of the dining room appeared on Sumerian cylinder seals of 2,075 B.C. These **griffins** were considered protective spirits. The **woman with wings** may be a trade diffusion from Mesopotamian cylinder seals of 2,300 B.C. Then she was **Ishtar,** holding a bunch of grapes, goddess of fertility, love and war.

*Le **teste di ariete** raffigurate alla fine dei braccioli delle sedie hanno come modelli delle statue del Neolitico che rappresentano dee della fertilità che appoggiano i loro grossi gomiti di terracotta sulle schiene di due pecore. I **leoni** sui batacchi delle porte derivano dai leoni a guardia dei cancelli di Micene e di cittadelle Ittite del 1600 a.C. I leoni con teste e ali di aquila dipinti sullo zoccolo nero della sala da pranzo appaiono anche su sigilli cilindrici Sumeri del 2075 a.C. Questi **grifoni** venivano considerati degli spiriti prottetori. **La donna alata** può essere derivata da dei sigilli cilindrici di origine Mesopotamia del 2300 a.C. In seguito divenne la dea **Ishtar**, dea della fertilità, dell'amore e della guerra, che teneva in mano un grappolo d'uva.*

Ishtar Goddess of fertility love and war 2,300 B.C.
Dea Ishtar della fertilità, dell'amore e della guerra proveniente, 2300 a.C.

Fish tailed Siren from Triclinium 79 A.D.
Sirena a coda di pesce dal triclinium 79 d.C.

All that remains of the **centaurs and the lions** in the **triclinium** are the scratched outlines sketched on the damp plaster by the painter, and a few remnants of the secco painting of muscles and shading. In 1824 Sir William Gell made drawings of them. The Pompeian painters had a marvellous facility for drawing animals which probably came from a close study of them in the amphitheatre.

*Tutto quello che rimane della pittura dei **Centauri e dei Leoni** nel **triclinium** sono gli schizzi incisi sull'intonaco fresco dal pittore e pochi residui della pittura realizzati a secco, che raffigurano muscoli e ombreggiature. Nel 1824, Sir William Gell realizzò dei disegni di questi frammenti. I pittori pompeiani dimostrano una straordinaria abilità nel disegnare questi animali; tale perizia probabilmente gli derivava da uno studio ravvicinato possibile grazie ai combattimenti nell'anfiteatro.*

Fauces detail

Triclinium detail

Skeletons and a jewellery box. There was one mosaic in the house with its own tragic story. It was of a head of Bacchus that tumbled down into the Amazon room below. Among the debris were scattered skeletons of a woman and a young girl with the remnants of a jewellery box. Beautiful gold necklaces and snake arm bands, two gold and pearl earrings, and gold coins of Titus and Nero were in the box. These women had fled to the grand bedroom upstairs, only to be trapped and die in the wreckage of their room.

Uno scheletro e una scatola di gioielli. Un mosaico della casa ha una storia tragica. Raffigurava una testa di Bacco e crollò nella stanza delle Amazzoni nel piano sottostante. Sparsi fra i detriti vennero trovati gli scheletri di una donna e di una ragazza insieme ai resti di una scatola di gioielli. Nella scatola c'erano bellissime collane d'oro e bracciali a forma di serpente, due orecchini d'oro con perle e monete d'oro raffiguranti le effigi di Tito e Nerone. Queste donne si erano rifugiate nella grande camera da letto del piano superiore, con l'unico risultato di rimanere intrappolate e morire nel crollo della loro stanza

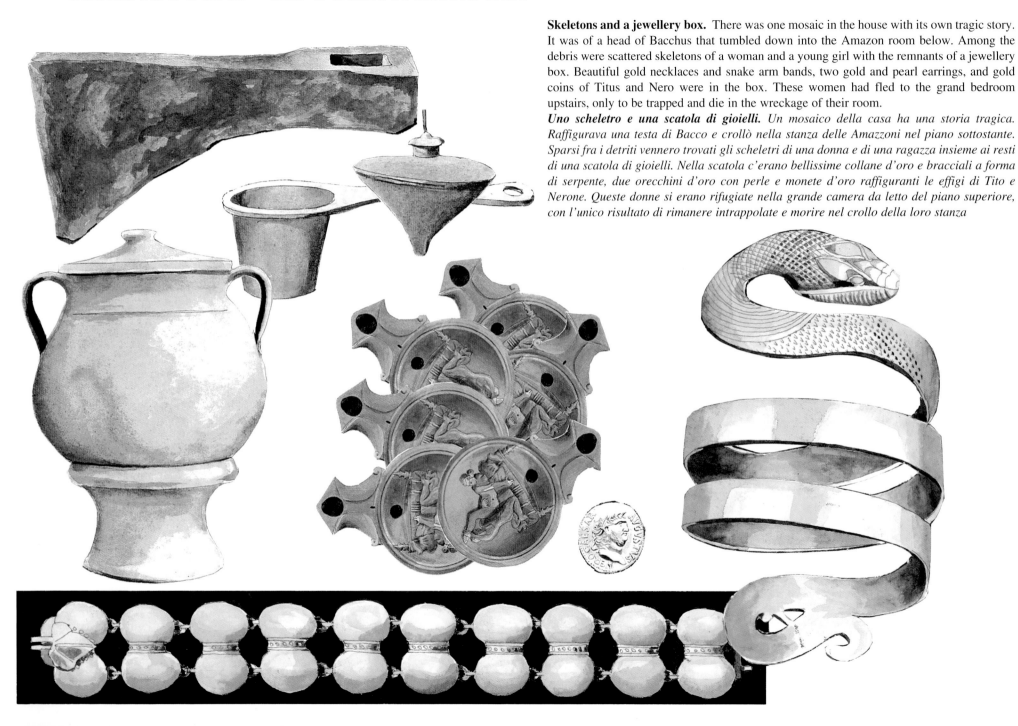

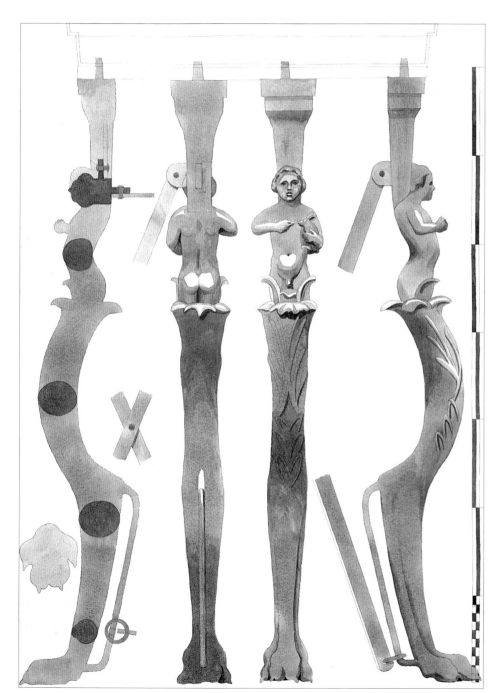

Table *Una tavola*

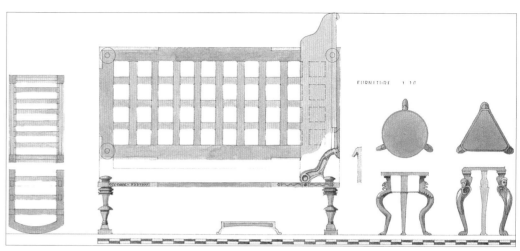

Cot and bed *Una culla a dondolo e un letto*

I mobili

La stanza magazzino che si dipartiva dall'atrio aveva nove fori fatti nell'affresco di una camera da letto in disuso; in questi fori erano inseriti i supporti di grosse mensole. Qui veniva riposta la biancheria, lampade, anfore per vino e altri casalinghi che al momento non erano utilizzati. Dei mobili non è rimasto nulla tranne alcune viti, un tavolo a tripode di bronzo e dei portalampada.

In altre case possiamo vedere affreschi raffiguranti letti con grandi materassi di lana a strisce bianche e marroni, probabilmente riempiti con velli, e cuscini multicolori di seta e lino. Ci sono anche scene raffiguranti il padrone e la padrona di casa seduti su elaborate sedie intarsiate con avorio e oro e con i piedi distesi su piccoli appoggia piedi. Sedie di vimini dallo schienale arrotondato e più economiche erano destinate ad un uso quotidiano. Una culla a dondolo di legno è stata trovata carbonizzata ad Ercolano, insieme a cassapanche e armadi di cui invece non è rimasta traccia a Pompei. Vi erano tavoli a tripode pieghevoli di bronzo alti 69 cm. molto ingegnosi che si aprono con sei bastoncini che scivolano lungo le gambe di bronzo. Le gambe sono decorate con cani, cupidi o satiri rampanti e hanno piedi ad artigli. La parte superiore del tavolo di bronzo veniva probabilmente usata come un vassoio per portare cibo dalla cucina. Il loro disegno si basava su tavoli usati nelle campagne militari che venivano poi piegati e trasportati con i bagagli. C'erano dei piccoli sgabelli di bronzo per i bambini che erano soliti giocare con piccole bambole snodate e versioni in miniatura di oggetti usati dagli adulti, come anche dadi e giochi da tavolo.

Sono stati ritrovati dei resti di letti di legno dalle dimensioni di 1,2 x 1,3 m. con gambe di bronzo ed elaborate testate, decorate con teste di cavallo, finemente intarsiate in argento, o con figure di dee. La parte inclinata della testata veniva ricoperta con grandi cuscini.

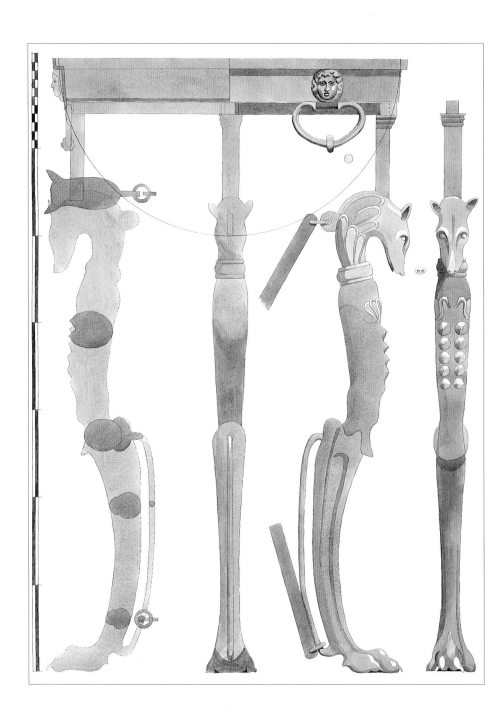

Fresco paintings depict beds with large striped mattresses in brown and white wool, probably stuffed with fleece, and multicoloured silk and linen cushions. There are also scenes of matrons and patrons sitting on elaborate chairs inlaid with ivory or gilded. They rest their feet on little foot stools. Cheaper round-backed wicker basket chairs were for every-day use. A carbonised timber rocking cot was found at Herculaneum, along with timber chests and cupboards. There were folding bronze tripod tables 69 cm high which were very ingenious and opened up with six iron rods which slid up the bronze legs. The legs are decorated with dogs, cupids, or rampant satyrs, and have clawed feet. The bronze table tops may have been used like tea trays for carrying food from the kitchen. Their design was based on military campaign tables that would have been folded up in the baggage. There were smaller bronze stools for children, who would have played with little articulated dolls and miniature versions of adults' equipment, as well as knuckle bones, dice and board games.

Remains of timber beds 1.2 x 2.3 metres have been found. These had bronze legs and elaborate head boards, decorated with horse heads or with goddesses finely inlaid with silver. The curved sloping head boards would have been piled with large cushions.

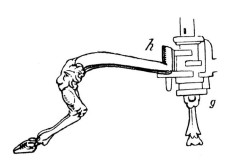

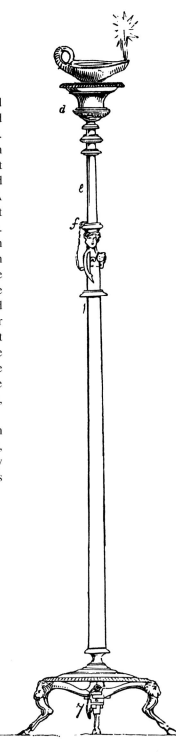

A DINNER PARTY
UN PRANZO

Petronius: "The Satyricon."
"Finally we entered the dining room. At last we got to lie down on a couch. Then some boys poured water on our hands, others went to our feet to cut our toe nails. And while they were performing this troublesome task they were not silent but were singing as they worked. I wanted to find out whether the whole household sang like this, and so I asked a boy to bring me a drink. Immediately the boy carried out my order with a song. I thought I was in an operatic chorus, not the dining room of a leading man. Soon a very elegant hors d'oeuvre was brought in, for by now every one had lain down on a couch, except for Trimalchio himself, for whom the first place was reserved. A donkey of Corinthian bronze was put on the table, with paniers on its back. In one panier there were white olives, and in the other, black ones. There were two dishes on the donkey's back on which was written both Trimalchio's name and their weight in silver. In these there were dormice sprinkled with honey and poppy seeds, and sausages and damsons."

"Satyricon" di Petronio ca. 66 d.C.

"Ci avviammo verso la sala da pranzo. Lo stesso schiavo che ci aveva supplicati ci corse incontro e ci innaffiò di baci per ringraziarci della nostra gentilezza. Alla fine riuscimmo a distenderci su un divano. Immediatamente alcuni schiavetti ci versarono dell'acqua sulle mani e degli altri ai nostri piedi si misero a tagliarci le unghie. Mentre questi si esibivano in questo compito ingrato, non stavano zitti ma cantavano. Allora volli scoprire se tutta la servitù cantava allo stesso modo e così chiesi ad un ragazzo di portarmi da bere. Il ragazzo eseguì i miei ordini immediatamente cantando una canzone. Mi sembrava di essere finito in un coro, non nella sala da pranzo di un uomo per bene.

Nel frattempo cominciarono a servire un antipasto molto elegante; tutti ormai erano distesi sui divani eccetto lo stesso Trimalchione, a cui era riservato il posto d'onore. Un asino di bronzo corinzio con due bisacce sulla schiena venne posto sul tavolo: in una bisaccia aveva olive bianche e nell'altra olive nere. Sopra l'asino c'erano due piatti su cui erano incisi il nome di Trimalchione e l'indicazione del loro peso in argento. Su di essi erano serviti ghiri spruzzati di miele con semi di papavero, salsicce e prugne."

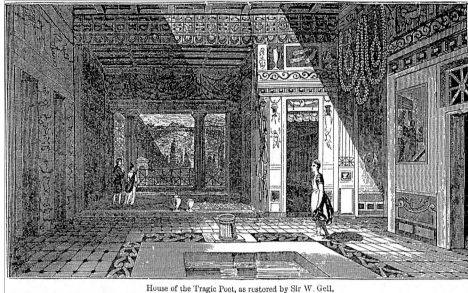

House of the Tragic Poet, as restored by Sir W. Gell.

Briseis leaving Achilles: the inspiration for Nydia and Glaucon?

Bulwer Lytton and the "Last Days of Pompeii"
The story of Glaucus and Ione rescued by Nydia the blind Christian slave girl, who was the only one who knew which way to escape when the sun was blotted out by the eruption, was centred around the House of the Tragic Poet. This had been described in detail in 1826 by his friend Sir William Gell in "Pompeiana." *But the house of Glaucus was at once one of the smallest and yet one of the most adorned and finished, of all the private mansions of Pompeii: . . . You enter by a long and narrow vestibule, on the floor of which is the image of a dog in mosaic, . . . Advancing upon the vestibule, you enter the atrium, that when first discovered was rich in paintings, which in point of expression would scarcely disgrace a Raphael . . . On one side of the atrium, a small staircase admitted to the apartments for the slaves on the second floor.* This melodramatic story became the basis of many twentieth century films about Pompeii.

Bulwer Lytton e "Gli ultimi giorni di Pompei"
La storia di Glauco e Ione salvati da Nydia, la giovane schiava cristiana cieca, l'unica che seppe trovare la strada per fuggire quando il sole venne oscurato dall'eruzione, si incentra sulla Casa del Poeta Tragico. Questa infatti era stata descritta a Lytton nei minimi particolari nel 1826 dal suo amico Sir William Gell in "Pompeiana". La casa di Glauco era allo stesso tempo una delle più piccole e una delle più decorate e raffinate fra tutte le residenze private di Pompei: . . . Si entrava da un ingresso lungo e stretto, sul cui pavimento vi era un mosaico raffigurante un cane, . . . Andando avanti lungo l'ingresso si entrava in un atrio dove si scopriva per la prima volta la ricchezza delle pitture, che in quanto ad espressività non erano da meno di un Raffaello. . . . Su un lato dell'atrio, una piccola scala conduceva agli appartamenti degli schiavi al secondo piano.
Questa storia melodrammatica divenne lo spunto per molti film del ventesimo secolo dedicati a Pompei.

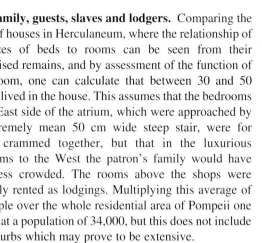

The Family, guests, slaves and lodgers. Comparing the areas of houses in Herculaneum, where the relationship of the sizes of beds to rooms can be seen from their carbonised remains, and by assessment of the function of each room, one can calculate that between 30 and 50 people lived in the house. This assumes that the bedrooms to the East side of the atrium, which were approached by an extremely mean 50 cm wide steep stair, were for slaves crammed together, but that in the luxurious bedrooms to the West the patron's family would have been less crowded. The rooms above the shops were probably rented as lodgings. Multiplying this average of 40 people over the whole residential area of Pompeii one arrives at a population of 34,000, but this does not include the suburbs which may prove to be extensive.

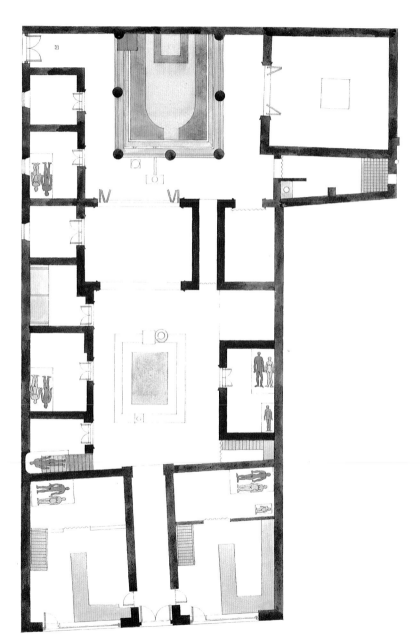

La famiglia, gli ospiti, gli schiavi e i pensionanti
Paragonando l'area delle case di Ercolano dove, dai resti carbonizzati, si può dedurre sia il rapporto fra le misure dei letti (1,2 x 2,2 m. circa) e le stanze, sia stabilire la funzione di ciascuna stanza, si può ritenere che in una casa vivessero tra le trenta e le cinquanta persone. In base a questi calcoli, si può ritenere che le stanze sul lato a est dell'atrio, raggiungibili attraverso una ripida e angusta scala larga 50 cm., fossero destinate agli schiavi che vivevano ammassati l'uno sull'altro. D'altro canto, si può ugualmente dedurre che nelle camere lussuose, sul lato occidentale, la famiglia del padrone di casa avesse più spazio a disposizione. Le stanze sopra i negozi venivano probabilmente affittate a dei pensionanti. Moltiplicando questa media di quaranta persone per l'intera area residenziale di Pompei, si arriva ad una popolazione di 34.000 abitanti, senza includere i sobborghi che si può credere fossero estesi.

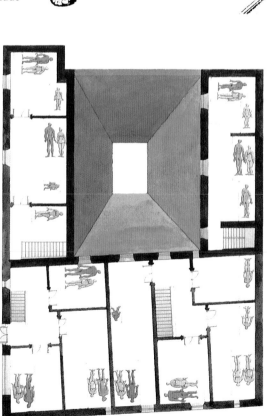

Ground Floor Plan *Il piano terreno*

First Floor Plan *Il primo piano*

APPENDIX

Tablinum Theatre Mosaic Description by S.T.A. Chatt-Wood Feb 96

Pompeii was originally founded by the Greeks and retained a strong Greek cultural heritage. This was particularly noticeable in the Pompeians' love of theatre. They had two theatres in the town, one large open air one holding about 5,000 people, and a small roofed Odeion for concerts and recitals , which held about 1,200. The resident population of Pompeii was about 34,000.

Plays were not performed daily but at festivals, and it was usual to attend the theatre for the whole day. One might expect, in the Greek tradition, to see a trilogy of three tragic plays, followed by a satyr play, all by the same author, or one might expect a day of comedy plays. Pompeians celebrated the excitement and joy of going to the theatre by painting theatre masks on fresco walls, and hanging replica masks in the peristyles of their gardens. The Greek god Dionysus, known as Bacchus to the Romans, was a god of the theatre as well as of wine, and was widely worshipped.

In the tablinum of the House of the Tragic Poet there survives one of the best mosaics celebrating the theatre. The scene appears to be the dressing room. On the left two young men are dressed in furry skirts. This suggests they will perform as satyrs. They have bare feet, and may be practising dance steps. Dance was an important element of the theatre. Satyrs in mythology were followers of Dionysos, distinguished by their horse ears and tails and large phalloi. A satyr play used these characters to lampoon tragedies, and it cheered up the audience, who had just seen 3 grim tragedies.

The next actor seems to be a man dressed as a woman. In Greek times all actors were male. This actor wears a wreath of golden ivy leaves,and so could be impersonating the god Apollo,who also wore a dress. Most likely he is a musician, who accompanied songs and who provided interval music between plays. He is playing a double aulos, a reeded instrument, and he wears cheek straps as a support. Behind him a young man holds a book – probably wooden wax tablets bound together. He may be reciting to the music and learning his part.

Seated on an ornate bench partly covered by a rich red cloth,which might itself be a tragedian's costume, sits the stage manager. He would pay for the production and train

the actors and musicians. A stick, symbolic of his authority, rests on his lap, and in his right hand he lifts a tragic mask for an actor who will play a woman. On the table behind him is the bearded tragic mask of an actor who will play a man. The tragic masks covered the whole head, and distinguished men from women by making women's flesh white and men's brown. All actors wore masks, and on the second satyr you can see his much lighter mask pushed back onto the top of his head. At the feet of the manager there is another mask of a bald old man,with long straggly beard and popping out eyes. This is either a stock character from comedy, or a Silenus mask for the satyr play. Silenus is a drunken character closely associated with Dionysus and he can be seen in the wall frescos of the Villa of Mysteries. The basket in which the masks were stored can be seen standing on the floor.

Behind the manager a youth in a close fitting cap helps his friend into a long full garment. The youth may be a stage hand, or an actor with his head prepared to wear a helmet. Some people see the costume as that of a ghost. Plautus wrote comedies using ghosts, and ghosts also feature in Greek tragedies.

The actors stand on a mosaic floor with Ionic pillars

behind them. Thus they may be preparing actually on stage, as the Roman theatres had permanent architectural backs to the stage. At the top of the mosaic one can just discern a coffered ceiling which also suggests this may be the stage. A cantilevered stretch of roofing was built over the stage.Between the columns hang wreaths, presumably festival decorations, and from the wreaths hang long ribbons, which may be used as belts or hair fillets. The latter are associated with celebrations. Olympic victors were given fillets, and men wore them at drinking parties. Between the columns hang bronze discs. They could be stage props, such as shields, but they are hung very evenly. Or they could be bronze sounding dishes, as were embedded into the orchestra walls at the theatre in Jerash, Jordan. They are probably purely decorative.

It was this mosaic which gave the house its name, the House of the Tragic Poet. It would seem that the mosaic itself does show the manager, or even the poet, in the midst of his actors preparing for a trilogy of tragedy plays followed by a rousing satyr play.

There is a curiously impossible architectural perspective shown in this picture. The two side pillars come in front of the actors and the two columns appear *behind* the actors though the entablature bridges all four. This was a conventional architectural framework for theatrical scenes found on Greek Pottery, circa 350 B.C. Much of Pompeian decorative details are anticipated on pottery.

Above the Theatre scene are two small Caryatids supporting the frame and four jewelled golden urns.

APPENDICE
Il Mosaico del Teatro nel Tablinium
Descrizione di S.T.A. Chatt-Wood
Febbraio 1996

Pompei era stata originariamente fondata dai Greci e conservava una forte eredità culturale greca. Questa influenza era particolarmente presente nell'amore che i Pompeiani nutrivano per il teatro. C'erano due teatri nella città, uno molto grande all'aperto che poteva contenere fino a 5.000 persone, ed un più piccolo Odeion coperto per concerti e recitals con una capacità di circa 1.200 posti. La popolazione residente a Pompei era costituita da circa 34.000 abitanti.

Gli spettacoli teatrali non venivano messi in scena quotidianamente, ma in occasione dei festival, quando era prassi trascorrere a teatro l'intera giornata. Ci si poteva aspettare, secondo la tradizione greca, di vedere una trilogia di tragedie, seguita da una satira, tutte dello stesso autore, oppure una giornata in cui venivano messe in scena unicamente commedie. I Pompeiani celebravano la loro gioia e l'entusiasmo di andare a teatro realizzando affreschi che raffiguravano maschere teatrali e appendendo copie di maschere nel peristilio dei loro giardini. Il dio greco Dioniso, noto ai Romani come Bacco, oltre ad essere il dio del vino era anche il dio del teatro, ed era molto venerato.

Uno dei più bei mosaici che celebrano il teatro è quello che si è conservato nel tablinum della Casa del Poeta Tragico. La scena raffigura un camerino: sulla sinistra vi sono due uomini vestiti con pelli di animali, il che lascia supporre che reciteranno la parte di due satiri. Sono a piedi nudi e sembra che stiano provando dei passi di danza; la danza era infatti una importante componente della rappresentazione teatrale. Nella mitologia i satiri erano seguaci di Dioniso riconoscibili per le loro orecchie da cavallo, la coda e i grandi falli. Le satire si servivano di questi personaggi per satireggiare le tragedie e per risollevare il morale del pubblico che aveva appena assistito a ben tre cupe drammi.

Un altro attore raffigurato nel mosaico sembra un uomo in costumi femminili. All'epoca dei Greci tutti gli attori erano uomini. Questo attore porta una corona di foglie d'edera dorate e poteva perciò impersonare Apollo, che indossava abiti di foggia femminile. Più probabilmente era un musicista che accompagnava i canti e che offriva intervalli musicali fra una rappresentazione e l'altra. Sta suonando un doppio aulos, uno strumento a fiato, con delle cinghiette laterali per supporto. Dietro di lui un giovane ha in mano un libro, probabilmente tavole di legno cerate legate insieme. Può darsi che egli stesse declamando accompagnato dalla musica e imparando la sua parte.

Seduto su una panchina riccamente decorata e in parte coperta da un prezioso drappo rosso, probabilmente un costume tragico, era il direttore di scena che finanziava l'allestimento e la preparazione di attori e musicisti. Un bastoncino, simbolo della sua autorità, è appoggiato sul suo grembo e con la mano destra solleva la maschera tragica di un attore che reciterà una parte femminile. Sul tavolo dietro di lui è posata la maschera tragica barbuta di un attore che reciterà una parte maschile. La maschera tragica copriva l'intera testa e serviva a riconoscere il ruolo maschile o femminile dell'attore: le donne avevano la pelle bianca, mentre gli uomini avevano la pelle scura. Tutti gli attori indossavano maschere e sulla testa del secondo satiro si può notare una maschera più chiara spinta indietro sul suo capo. Ai piedi del direttore di scena c'è un'altra maschera di un uomo pelato con una lunga barba rada e occhi sporgenti: questa poteva essere usata o da un tipico personaggio della commedia, oppure da un Sileno in una satira. Sileno è un personaggio ubriacone strettamente legato a Dioniso e che si può vedere raffigurato negli affreschi della Villa dei Misteri. Si può anche notare un cesto appoggiato per terra dove venivano riposte le maschere.

Dietro il direttore di scena, un giovane con un copricapo aderente aiuta un suo compagno ad indossare un lungo costume. Il giovane potrebbe essere sia un aiutante di scena, sia un attore che si accinge ad indossare un elmo. Alcuni ritengono che si tratti di un costume da fantasma. Plauto scrisse commedie con fantasmi, e fantasmi sono presenti anche in alcune tragedie greche.

Gli attori sono raffigurati su un mosaico che ha sullo sfondo colonne ioniche; pertanto, potrebbe darsi che si stessero preparando direttamente sul palcoscenico, dato che i teatri romani erano dotati di strutture architettoniche permanenti intorno alla scena. Nella parte superiore del mosaico si può distinguere un soffitto a cassettone: un ulteriore conferma che si tratti di un palcoscenico; infatti, una pensilina veniva montata sopra la scena. Fra le colonne sono appese corone, probabilmente decorazioni per il festival, e dalle corone pendevano lunghi nastri che venivano usati come cinture o nastri per acconciare i capelli, questi ultimi variavano a seconda del tipo di celebrazioni. Ai vincitori olimpici venivano dati dei nastri e gli uomini li indossavano alle feste. Fra le colonne sono anche appesi dischi di bronzo: questi potevano essere materiale scenico, come ad esempio degli scudi, ma sono appesi con un ordine molto regolare. Potrebbero anche essere dei piatti di bronzo da suonare, come quelli incassati nelle mura dell'orchestra del teatro di Jerash, in Giordania. Si tratta, probabilmente, di elementi puramente decorativi.

È da questo mosaico che la casa deriva il suo nome, la Casa del Poeta Tragico. Sembrerebbe che il mosaico stesso raffiguri il direttore di scena, o addirittura il poeta, in mezzo agli attori che si stanno preparando a rappresentare una trilogia di tragedie seguite da una vivace satira.

Nel disegno di questo mosaico è raffigurata una curiosa e impossibile prospettiva architettonica: i due pilastri laterali sono davanti agli attori e le due colonne sono visibili dietro agli attori, benché la trabeazione li copra tutti e quattro. Questa era una struttura architettonica tipica delle scene teatrali che è stata ritrovata anche su vasi greci che risalgono al 350 a.C. circa. Molti elementi decorativi usati a Pompei si possono fare resalire a vasellame preesistente.

Sopra la scena teatrale due piccole Cariatidi sorreggono la cornice e quattro urne d'oro per gioielli.

APPENDICE
L'inizio del banchetto
Dal Satyricon, traduzione di Sara Chatt-Wood

Noi lo seguivamo, pieni di ammirazione, e arrivammo insieme con Agamennone ad una porta sul cui stipite era affisso un cartello con questa scritta: "Qualunque servo si allontani senza un preciso ordine del padrone si prenderà cento vergate". Sulla soglia pendeva una gabbia d'oro nella quale una gazza bianca e nera salutava quelli che entravano. Quanto a me, mentre trasecolavo di fronte a tutte queste meraviglie, per poco non caddi spezzandomi una gamba. Infatti, proprio a sinistra di chi entrava c'era un molosso immane, legato alla catena, dipinto sul muro e sopra di lui in lettere maiuscole c'era scritto "CAVE CANEM". I miei compagni scoppiarono a ridere e io riprendendo un po' il fiato, cominciai ad osservare il muro intero. V'era dipinto un mercato di schiavi, tutti con un cartello, e Trimalchione stesso che entrava in Roma tenendo in mano la bacchetta di Mercurio. Poi il pittore aveva fedelmente raffigurato in tutti i particolari le imprese di Trimalchione, mettendoci sotto le rispettive diciture. Innanzitutto Trimalchione aveva imparato a fare di conto, poi era diventato tesoriere e infine Mercurio lo innalzava e lo posava su di un seggio eccelso. Là, la dea Fortuna distribuiva ricchezze estratte da una cornucopia. A questo punto eravamo arrivati nella sala da pranzo, alla cui entrata un amministratore riceveva i conti delle spese. Più di tutto mi meravigliò vedere infissi sugli stipiti del triclinio dei fasci con delle scuri, sotto i quali c'era scritto: "A GAIO POMPEO TRIMALCHIONE SEVIRO AUGUSTALE, DAL SUO TESORIERE CINNAMO". Due tavolette erano infisse sui due battenti, una di queste riportava l'iscrizione: "Il 30 e il 31 di dicembre Gaio cena fuori". Sull'altra erano dipinti il corso della luna e le immagini dei sette pianeti.

Stavamo ora per entrare nella sala da pranzo, quando uno dei ragazzi ci urlò: "Prima il piede destro!". Devo confessare che rimanemmo lì spaventati, temendo che qualcuno per sbaglio rompesse il cerimoniale mentre varcavamo la soglia. Quindi, alzammo tutti insieme il piede destro quando improvvisamente uno schiavo nudo

fino alla vita ci si prostrò davanti e cominciò a scongiurarci di salvarlo dalla punizione che lo aspettava. "Il mio crimine non è grave" ci disse "ma per quanto ho commesso sono in pericolo. Mentre il tesoriere faceva il bagno mi hanno rubato i suoi vestiti, che valevano dieci sesterzi a dir tanto." Così ritirammo tutti il piede destro ritornammo dal tesoriere nell'ingresso che stava contando delle monete d'oro e lo pregammo di far grazia allo schiavo. Lui sollevò lo sguardo con un espressione piena di arroganza e disse: "Non mi preoccupo del danno, ma della negligenza di questo schiavo fannullone. Mi ha fatto perdere le mie vesti da tavola, che un cliente mi aveva regalato per il mio compleanno, certamente una tintura di Tiro e che erano stati lavati soltanto una volta. Be' che volete, ve lo lascio."

Noi lo ringraziammo per la sua grande condiscendenza e ci avviammo verso la sala da pranzo. Lo stesso schiavo che ci aveva supplicati ci corse incontro e ci innaffiò di baci per ringraziarci della nostra gentilezza. Alla fine riuscimmo a distenderci su un divano. Immediatamente alcuni schiavetti ci versarono dell'acqua sulle mani e degli altri ai nostri piedi si misero a tagliarci le unghie.

Mentre questi si esibivano in questo compito ingrato, non stavano zitti ma cantavano. Allora volli scoprire se tutta la servitù cantava allo stesso modo e così chiesi ad un ragazzo di portarmi da bere. Il ragazzo eseguí i miei ordini immediatamente cantando una canzone. Mi sembrava di essere finito in un coro, non nella sala da pranzo di un uomo per bene.

Nel frattempo cominciarono a servire un antipasto molto elegante; tutti ormai erano distesi sui divani eccetto lo stesso Trimalchione, a cui era riservato il posto d'onore. Un asino di bronzo corinzio con due bisacce sulla schiena venne posto sul tavolo: in una bisaccia aveva olive bianche e nell'altra olive nere. Sopra l'asino c'erano due piatti su cui erano incisi il nome di Trimalchione e l'indicazione del loro peso in argento. Su di essi erano serviti ghiri spruzzati di miele con semi di papavero, salsicce e prugne.

Mentre eravamo immersi in tutte queste celebrazioni, portarono Trimalchione tra il fragore dei suoni di una banda. Quando si fu sdraiato sul divano, mentre si stuzzicava i denti con uno stuzzicadenti d'argento, disse: "Cari amici, non avevo nessuna voglia di venire nella sala da pranzo adesso, ma per non farvi aspettare più a lungo mi sono negato ogni piacere. In ogni caso lasciatemi almeno finire questa partita." Lo seguiva un ragazzo che portava un tavolo da gioco di legno di terebinto e dadi di cristallo.

Trimalchione aveva ora finito la sua partita e ad alta voce aveva dato il permesso ai suoi ospiti di riprendere a bere, quando l'orchestra diede all'improvviso un segnale e gli antipasti vennero portati via da un coro che cantava . . .

Fuori dalla sala da pranzo si levò un grande strepito ed ecco una muta di cani spartani si mette a correre intorno ai tavoli. Subito dopo arrivò un vassoio sul quale era servito un enorme cinghiale. Per tagliare il cinghiale si fece avanti un gigante barbuto, vestito a foggia di cacciatore che tirò fuori un coltello da caccia e sferrò un colpo sul fianco del cinghiale. Dopo di che, uno stormo di uccelli volò fuori dallo stomaco del cinghiale. Gli uccellatori erano pronti con le frecce e in un momento catturarono gli uccelli che svolazzavano per il triclinio.

APPENDIX

The start of the banquet Translation after The Satyricon: by Sara Chatt-Wood

We ourselves followed full of admiration and together with Agamemnon come to a door on whose post a notice was pinned bearing this message: "Any slave who leaves without the express command of his master shall receive 100 strokes of the whip." Over the threshold hung a golden birdcage in which a black and white magpie would greet those going in. But while I was gazing at all these marvels I almost fell and broke my leg. For on our left, as we went in, there was a massive chained dog painted on the wall, and above it, in capital letters, was written CAVE CANEM. My companions fell about laughing, I gathered my wits and began to examine the whole wall. There was a slave sale painted on it, all labelled, and Trimalchio himself holding Mercury's wand and entering Rome. Then the painter had faithfully depicted everything which Trimalchio had done, carefully labelling the lot. First of all Trimalchio was learning to keep accounts, then he was made a financial steward, and finally Mercury raised him up and placed him on a lofty platform. There the goddess Fortuna poured out riches from a cornucopia.

By now we had got to the dining room, where a steward was receiving accounts at the entrance. What I particularly admired were the fasces and axes (bundles of rods and axes) fixed to the door posts of the dining room, under which had been written, TO GAIUS POMPEIUS TRIMALCHIO, SEVIR AUGUSTALIS, DEDICATED BY HIS STEWARD CINNAMUS. Two boards had been nailed on each post. One of these bore the inscription 'On 30th and 31st December Gaius will dine out' The other board had the course of the moon and pictures of the seven planets.

We were now trying to enter the dining room, but one of the boys shouted out, "Right foot first!" I must say we felt pretty scared in case one of us should break a taboo as we crossed over the threshold. Finally we took a right step together but suddenly a slave, stripped to the waist, fell down at our feet and began to beg us to snatch him from a flogging. "My crime wasn't big," he said, "but because of it I am in danger. While the steward was in the bath his clothes were pinched from me, but they're hardly worth 10 sesterces." And so we each pulled back our right foot and found the steward in the hall: he was counting gold coins. We begged him to let the slave off his punishment. He looked up with an arrogant expression and said, "I am not concerned about the loss but the carelessness of such a worthless slave. He has lost my dinner clothes, which a client had given me for my birthday, certainly Tyrian dyed, and only once been to the wash. Well, what of it? I give him to you."

We thanked him for his great kindness and went on our way to enter the dining room. That same slave whom we had begged off, ran to meet us, showered us with kisses and thanked us for our kindness. Finally we got to lie down on a couch. Straightway some boys poured water on our hands, while others went to our feet to cut our toe nails. And while they were performing this troublesome task they were not silent but sang as they worked. I wanted to find out whether the whole household sang like this, and so I asked a boy to bring me a drink. Immediately the boy carried out my order with a song. I thought I was in an operatic chorus, not the dining room of a leading man.

However a very elegant hors d'oeuvre was brought in, for by now every one had lain down on a couch, except for Trimalchio himself, for whom the first place was reserved. A donkey of Corinthian bronze was put on the table, with paniers on its back. In one panier there were white olives, and in the other, black ones. There were two dishes on the donkey's back on which was written both Trimalchio's name and their weight in silver. In these there were dormice sprinkled with honey and poppy seeds, and sausages and damsons.

We were in the middle of these festivities when Trimalchio himself was brought in to the sound of a band. When he had lain himself out on the couch, while picking his teeth with a silver tooth pick, he said, "My friends, I did not want to come to the dining room yet, but so that I should not keep you waiting any longer I have denied myself every pleasure. However please allow me to finish my game." A boy followed carrying a gaming board of terebinth wood and crystal dice.

Trimalchio now finished his game and gave permission in a clear voice that his guests should once again resume drinking, when the orchestra was suddenly given a signal and the hors d'oeuvre was whisked away by the singing chorus . . .

Outside the dining room a huge uproar arose, and crikey, Spartan hounds began to rush around the table. A dish followed them on which was placed a mighty boar.

To carve the boar, he summoned a massive bearded fellow, dressed in the clothes of a hunter, who drew a hunting knife and violently stabbed the side of the boar. When he had done this birds flew out of its stomach. Bird catchers with reeds were ready and they quickly caught the birds as they flew round the dining room.